"永远的黄河"丛书

百折不挠

黄河水利委员会新闻宣传出版中心　组编

栗方　李参　赵何晶　宋朝丽　陈文婷　编写

中原出版传媒集团
中原传媒股份公司

大象出版社
·郑州·

图书在版编目（CIP）数据

百折不挠／黄河水利委员会新闻宣传出版中心组编. —
郑州：大象出版社，2021. 6
（"永远的黄河"丛书）
ISBN 978-7-5711-1039-0

Ⅰ. ①百… Ⅱ. ①黄… Ⅲ. ①黄河流域–文化史
Ⅳ. ①K29

中国版本图书馆 CIP 数据核字（2021）第 069740 号

"永远的黄河"丛书

百折不挠
BAIZHE-BUNAO

黄河水利委员会新闻宣传出版中心　组编
编写者　栗　方　李　参　赵何晶　宋朝丽　陈文婷
审　稿　王建平

出 版 人　汪林中
责任编辑　张　阳　赵子夜
责任校对　张迎娟　代亚丽　耿新超
装帧设计　王莉娟

出版发行　大象出版社（郑州市郑东新区祥盛街 27 号　邮政编码 450016）
　　　　　发行科　0371-63863551　总编室　0371-65597936
网　　址　www. daxiang. cn
印　　刷　郑州新海岸电脑彩色制印有限公司
经　　销　各地新华书店经销
开　　本　720 mm×1020 mm　1/16
印　　张　13. 5
字　　数　144 千字
版　　次　2021 年 6 月第 1 版　2021 年 6 月第 1 次印刷
定　　价　39. 00 元
若发现印、装质量问题,影响阅读,请与承印厂联系调换。
印厂地址　郑州市鼎尚街 15 号
邮政编码　450002　　　　　　电话　0371-67358093

目　录

第一章

黄河流域的文明曙光

黄河，发源于青藏高原巴颜喀拉山北麓，流经青海、四川、甘肃、宁夏、内蒙古、山西、陕西、河南和山东9省区，一路携川纳流，奔腾跌宕，在山东东营注入渤海，全长5464千米，流域面积75.2万平方千米。这是一条传承中华文明的伟大河流，她哺育了我们这个民族，孕育了光辉灿烂的文化，凝聚着中华民族百折不挠、自强不息的精神。在黄河流域发现的不同历史阶段的人类遗迹、文化遗存，生动地展示了黄河流域远古人类的进化过程。"三皇五帝"在中国文明的发祥发端中占据重要的地位。"五帝"之后就有了大禹治水的传说，以及中国历史上第一个王朝——夏的建立。口耳相传的远古神话作为中华民族的原始记忆，在很大程度上影响了中华民族精神的形成及特征。

第一节　旧石器时代主要的文化遗址

远古时期，黄河流域[①]气候适宜、土地肥沃、动植物资源丰富，先民们逐水而居，很早就在这里繁衍生息。我们虽然无法知晓当时的真实生活画面，但是却能从深埋在黄土下的文化遗存中，去探寻远古岁月的一些蛛丝马迹。

人类在黄河流域生活的时间，至少应该从 180 万年前的西侯度文化时期算起，这里是人类文明的重要起源地之一。在山西西侯度遗址中，考古工作者发现了被火烧过的动物化石和鹿角化石，这是早期人类用火的重要遗迹。此外，黄河流域还有其他时期众多的原始人遗迹。如约 115 万年前活动在今陕西省蓝田县的蓝田人，约 20 万年前活动在今陕西省大荔县的大荔人，约 10 万年前活动在今山西省襄汾县的丁村人，约 10 万年前活动在今河南省许昌的"许昌人"，约 5 万年前活动在今内蒙古鄂托克前旗的河套人等，都清晰地表明旧石器时代的远古人类在黄河流域繁衍生息。我们的祖先在大河上下破石成器，薪火承递，靠狩猎、采集生活，逐渐改变了茹毛饮血的野蛮状态，度过了人类文明的金色童年。

> ### 旧石器时代与新石器时代
>
> 旧石器时代是人类历史的最古阶段，历时二三百万年。其主要特征是人类的生产工具主要为打制石器（将两块石头相互击打形成锋利的刃、尖，制成最简单的石器）。这一时期人类的生活资料

---

①黄河流域：历史上，由于各种原因，黄河有 20 多次大的改道，曾流经今天的河北、天津、安徽、江苏等地。河南的鹤壁、安阳、许昌、周口、商丘等地，都处于黄河故道。本书所说的黄河文化涵盖历史上黄河流经地区的古文化。

来源主要是捕猎野兽、鱼类和采集果实，农业和畜牧业还没有产生。旧石器时代分为早期、中期和晚期。人类在旧石器时代早期学会了用火，在中期会制造骨器，在晚期已经能制造简单的组合工具并开始形成母系氏族。

后来，人类用磨的方法磨制石器，广泛使用磨制石器的时代叫作新石器时代。大约在1万年前，人类进入新石器时代。农业、畜牧业的产生，陶器、玉器、纺织物的出现也是其基本特征。

一、西侯度遗址

黄河沿着晋陕峡谷向南，在山西西南角绕过中条山，拐一道大弯向东流去。山西省芮城县风陵渡镇就位于这个拐弯处。迄今为止，黄河流域发现最早的人类文化遗存——西侯度遗址就在风陵渡镇西侯度村村东，在黄河岸上高出河面约170米的阶地上。据古地磁法测定，西侯度遗址年代为180万年前。（古地磁法是对岩石和土壤中矿物质的化石磁性进行研究，从而断定地层年代的方法。古代砖瓦、陶瓷以及遗址中的窑炉灶等有剩余磁性，研究人员据此可以测出它们的考古年代。）

风陵渡

　　1961—1962 年，考古工作者对西侯度遗址先后进行了两次发掘，出土了一大批人类文化遗物和动物化石。文化遗物主要有石制品以及带有切割痕迹的鹿角。石制品种类有石核、石片、刮削器、砍砸器、三棱大尖状器等。动物化石来源于巨河狸、鲤、山西轴鹿、粗面轴鹿、粗壮丽牛、山西披毛犀、三趾马、古中国野牛、李氏野猪、纳玛象等。

　　从考古发现可知：180 万年前，这里是一片广阔的疏林草原，草木茂盛，结有各种浆果和坚果。丛林里有山西披毛犀、纳玛象出没，丘陵和草原上有三趾马、野牛、羚羊、野猪奔跑追逐，河中有鲤鱼、河狸游弋。西侯度人把石头打制成石核、石片、刮削器、砍砸器、三棱大尖状器等，他们使用这些粗糙的石器和木棒采集植物和果实、猎捕野兽。从发掘出的石器和大量动物化石看，西侯度人已经掌握了用石片加工和制造工具的技术。

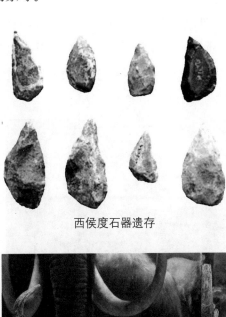

西侯度石器遗存

　　西侯度遗址还出土了一批呈灰、黑、灰绿颜色的特殊化石标本，大部分是哺乳动物的肋骨、马的牙齿与鹿角。化验证明，这些化石是

西侯度遗址中出土的麋鹿骨骼

用火烧过的，是目前中国乃至世界上最早的人类用火的证据，据此可把人类用火的历史推到距今 180 万年前。火的使用是人类进化非常重要的一大步，人类逐步改变茹毛饮血的状态。

二、蓝田猿人遗址

蓝田猿人遗址位于陕西省蓝田县，包括位于灞河岸边的公王岭和陈家窝两个地点。蓝田猿人生活的年代大约在距今 115 万年至 65 万年前。20 世纪 60 年代，考古工作者在这里发现的猿人上下颌骨化石、头骨化石，属于旧石器时代早期的直立人；在对蓝田猿人遗址的发掘中，还发现了大量石制品及动物化石。1982 年，蓝田猿人遗址被国务院公布为全国重点文物保护单位。

蓝田猿人复原头像

蓝田猿人前额低平、较宽，眉脊粗壮隆起，头骨骨壁极厚，眼眶略方，嘴部前伸，仍保留不少似猿的特点。蓝田猿人遗址发掘出的石器包括刮削器、砍砸器、尖状器和石片、石球等。这些石器打制粗糙，但其中的刮削器已有直刃、凸刃、凹刃、复刃等形式，表现出石器的打制技术不断发展的趋势。另外，在化石层里还有几处灰烬、炭屑，说明蓝田猿人会使用火，这是又一处人类用火的实物证据。

和蓝田猿人同时生活在这一带的动物有 40 多种，其中有可供人类捕食的食草动物，也有对人类造成巨大威胁的凶猛野兽，如中国缟鬣狗、野猪、三门马、葛氏斑鹿、剑齿虎、短角丽牛、猎豹、大熊猫、剑齿象、爪兽、水鹿、巨貘、毛冠鹿、猕猴等。

根据对动物群的构成和蓝田猿人生活时期红土层的研究推测，当时此地的气候温暖湿润，山上林木茂盛，山前水草丰茂。蓝田猿人正是在这样的环境中写下了人类历史上灿烂的一页。

人类的进化

　　学术界一般认为人类进化大体可分为五个阶段：南方古猿、能人、直立人、早期智人和晚期智人。南方古猿生活在距今约 400 万年至 100 万年前；能人生活在距今约 180 万年前，较南方古猿进步；直立人生活在距今约 200 万年至 20 万年前，相当于考古学的旧石器时代初期；早期智人生活在距今约 25 万年至 4.5 万年前，相当于考古学的旧石器时代中期；距今约 10 万年前，某些早期智人进化成晚期智人。

三、大荔人遗址

　　黄河流域的先民们凭借着简单的工具——木棒、石器猎取食物，捕获猎物，顽强地生存了下来。经过漫长的年代，直立人向早期智人进化。陕西省大荔县发现的大荔人生活的年代大约在距今 23 万年至 18 万年前。大荔人头骨化石骨壁比较厚，颅顶低矮，眉脊粗壮，前额后倾，颧骨不高，有明显的从直立人向早期智人过渡的体质特征，属于早期智人类型。

　　黄河及其支流洛河、渭河，在滋养大荔这片沃土和人民的同时，孕育了大荔悠久的历史和灿烂的文化。2001 年，大荔人遗址被列为全国重点文物保护单位。

　　大荔人遗址出土的石制品大多是石片和石核，制造时以锤击法为主，偶尔用砸击法，打制技术比较原始。

大荔人遗址出土的各种石器

石器组合以刮削器为主，尖状器次之，还有少量的石锥和雕刻器。

在大荔人遗址，除了发现的大荔人头骨化石，还有大量动物化石，有古菱齿象、犀牛、肿骨鹿、斑鹿、马、河狸、野猪、野牛、普氏羚羊等动物化石，还有鲤鱼、鲇鱼、蚌、螺等水生动物化石。发现的植物孢粉化石不多，有蒿、菊、藜、松、柏、云杉等。从出土的动植物化石判断，大荔人生活时期当地的气候比较温和，也可能有点干燥。

四、丁村人遗址

汾河为黄河的第二大支流，位于山西省襄汾县汾河岸边的丁村曾经因丁村人遗址的考古发现震惊世界。丁村人生活时代距今约 10 万年。

丁村人化石以 3 枚古人牙齿化石和 1 块小孩的顶骨化石为代表。千万不要小看了这几块化石，它们为考古学家提供了重要的形态学信息，曾轰动世界。3 枚牙齿的形态特征都与现代黄种人相近而与白种人相差较远，其发达程度介于北京猿人与现代黄种人之间。顶骨后上角的形态表明，该个体可能具有印加骨，这是与北京猿人相近的特征。这些都为中国古人类进化的连续性提供了证据。

丁村人复原头像

丁村人遗址出土的石器有石球、刮削器、砍砸器、尖状器等，石器一般都较大。最具代表性的石器为三棱大尖状器，因其具有显著特点，因而又叫"丁村尖状器"。丁村人用这些石器狩猎野兽、采集野味野果，在汾河两岸生息繁衍。随着考古发掘工作的推进，丁村人遗址出土的器物越来越多，构成了一套丁村人打制成的石器，其中有生产类的，也有生活类的。

当时的气候温和，林木茂盛。汾河河谷宽阔，河两岸林木葱郁，岸边生长着茂密的蒿草、野菊，森林中有狼、狐、獾和熊，鹿、羚羊、犀牛、象、野马、野驴、野猪出没于河边，青鱼、鲤鱼等在汾河中自由地游来游去。

五、灵井"许昌人"遗址

灵井"许昌人"遗址位于河南省许昌市西北约 15 千米的灵井镇。灵井"许昌人"遗址是我国首次发掘的以泉水为中心的旧石器时代中晚期遗址。2007 年，灵井遗址出土了古人类的头骨化石，根据惯例，此次发现的猿人被命名为"许昌人"。这一发现入选 2007 年度全国十大考古新发现。2013 年，灵井"许昌人"遗址被国务院公布为全国重点文物保护单位。

灵井"许昌人"遗址

研究发现，"许昌人"头骨穹隆低矮、脑颅扁平，具有周口店北京猿人、和县猿人等的原始共同特征。同时，"许昌人"还呈现向现代人过渡的重要特征，如头骨变薄，头骨结构呈现纤细化，脑容量增大，眉脊较为纤细等。

灵井"许昌人"遗址出土的动物化石主要有原始牛、普通马、披毛犀、野猪、马鹿等 20 余种，出土的动物骨骼中不少有刻画、砍砸等人工痕迹，另外，还出土大量石器、骨器、早期陶片等，如细石器、牙制工具和雕刻艺术品。这对于研究东北亚细石器的传播与发展、细石器的制作技术和华北地区陶器的起源等，是非常重要的材料，对探索旧石器文化向新石器文化过渡等学术问题具有重大意义。

从灵井"许昌人"遗址出土的一个小骨片上发现了残留有红赭石染料的

灵井"许昌人"遗址出土的带刻画直线的骨片

7条平行刻画直线。这件人工制品距今11万年左右，比来自南非最古老的现代人画作早约4万年，可能是已知最早的人工刻画作品。

关于现代人类起源，国际学术界有两种说法："非洲起源说"认为，世界各地的现代人都是非洲早期人类的后裔；"多地区进化说"认为，中国现代人是在本土一步步进化而来的，但这个进化体系缺失距今10万年至5万年间的人类化石。"许昌人"的发现恰好填补了中国现代人起源研究的最重要缺环。"许昌人"上承周口店北京猿人，下连中国北方早期现代人，为"多地区进化说"提供了证据。

六、河套人遗址

当人类从晚期智人阶段向现代人迈进时，人类的足迹和活动的区域更加广泛，几乎遍及整个黄河流域。下面我们去内蒙古的河套地区看看先人的生活足迹。

河套人遗址位于内蒙古自治区鄂尔多斯高原毛乌素沙地的萨拉乌苏河两

鄂尔多斯人（河套人）遗址

岸。该遗址又被称为鄂尔多斯人遗址。河套人生活的时代距今大约 5 万年至 3 万年，为旧石器时代晚期。河套人属晚期智人，体质特征已经接近现代人。

河套人制作石器的技术已比丁村人提高，能对石片进行进一步加工，制成较为定型的工具。与河套人同时期生存的动物有普氏羚羊、野马、原始牛等 40 多种，多数已绝种。

河套人作为具有丰厚积淀的鄂尔多斯文化的人文始祖，其遗址的发现为研究鄂尔多斯文化的起源及发展提供了科学依据。

鄂尔多斯文化

鄂尔多斯地区自古以来就是众多民族共同活动的历史舞台。鄂尔多斯文化历史悠久，源远流长，内涵丰富，是一种多元融合、风格独特的文化，包括河套文化、朱开沟文化、鄂尔多斯青铜文化、河套匈奴文化。鄂尔多斯文化属于黄河文化系统，其源头为"河套文化"。

立式有角青铜鹿

第二节　新石器时代主要的文化遗址

大约在 1.2 万年前，辽阔的黄土高原和黄河中下游的冲积平原上，植被丰厚，草木茂盛，动物种群繁盛。远古的黄河先民踏上了新石器时代的征程。新石器时代的文化遗址遍布大河上下。

新石器时代，黄河流域原始农耕文化世界领先。人们开始定居并过着聚居生活，创造出多种用于生产、生活的磨制石器、骨器，栽培粟、黍等植物，驯化牛、羊、猪、狗、鸡等动物。手工业从农业中分离出来，制陶业发达，金属冶炼逐步萌芽，原始宗教、建筑、纺织、天文、数学、音乐、绘画、文字等得以开创，黄河流域迎来了文明曙光。

一、黄河中游的新石器时代文化遗址

新石器时代的文化遗址在黄河中游的河南、陕西、山西和河北 4 省的大部分地区及甘肃东部地区分布广、数量多，是中华民族古代文明的重要发祥地。新石器时代文化分为早、中、晚三期。

（一）新石器时代早期文化遗存

已被考古界命名的考古学文化主要有裴李岗文化、磁山文化、老官台文化等。主要文化遗址有河北保定的南庄头遗址、河南新郑的裴李岗遗址、河北武安的磁山遗址、甘肃秦安大地湾遗址等。

1. 南庄头遗址

南庄头遗址（距今 10000—9000 年）是华北地区年代最早的新石器时代遗存之一。南庄头遗址呈现出农业、畜牧业的产生、发展及人类定居方面的原始面貌。

南庄头遗址中发现的禾本科、藜科花粉，可说是被人类驯化为粮食（麦类和粟类）和蔬菜（如菠菜）的祖源。出土的石磨盘、石磨棒等食物加工工具，鹿角等挖坑点播工具，都表明当时已初具驯化旱地农作物的基本条件，人们可能已开始从事小规模的作物驯化栽培和谷物加工。

遗址中保存最多的是动物骨骸，种类有鼠、鸡、鹤、狼、狗、家猪、麝、鹿，以及鸟、鱼、鳖、蚌、螺等。家猪和狗的骨骸的发现为南庄头原始农业起源提供了有力旁证，说明这时人们采集的种子或种植的作物已经可以为猪、狗提供饲料。

南庄头遗址有一条东西向浅灰沟，其西端是锅底形洼坑，上下叠压埋着大小不等的鹿角和角锥。洼坑西南面有炭灰、红烧土构成的火烧痕迹，周围散布着猪髋骨、猪牙、鹿下颌骨、木炭、烧土块、石片等。在邻近的相应地层也发现了加工植物种子的石磨盘、石磨棒及炊煮食物的陶罐残片（制陶是人类发明用火之后又一个里程碑式的重大创造，常常被作为区分新、旧石器时代的重要标志）。这一切都表明南庄头先民已过着相对稳定的定居生活。

南庄头遗址的发现，为研究早期新石器时代文化及农业、饲养业、制陶业的起源提供了重要材料。

2. 裴李岗文化

位于河南新郑的裴李岗遗址距今约 9000—8000 年，由于该遗址出土的器物有独具一格的文化面貌，以此为特点的文化遗存被考古学界命名为"裴李岗文化"。裴李岗文化遗址在河南中部地区已发现数十处，如新密市莪沟北岗遗址、长葛市石固遗址和舞阳县贾湖遗址。

裴李岗遗址东半部为村落遗迹，西半部为氏族墓地。1977—1979 年，我国考古工作者对裴李岗遗址先后进行 4 次发掘，共计发掘墓葬 114 座、灰坑 10 余个、陶窑 1 座以及几处残破的穴居房基，遗址出土各种器物 400 余件，包括石器、骨器、陶器等。其中，典型器物是精致的两端有刃的石铲，有锯齿刃的石镰和成熟的脱粒工具石磨盘、磨棒。石磨盘和磨棒的出现，表明当时已经有了原始的粮食加工活动。

裴李岗遗址出土的石镰、石铲、石斧　　　裴李岗遗址出土的石磨盘和磨棒

　　裴李岗遗址出土的陶器多为素面，有少量磨光或饰以篦点纹的，个别表面带有乳钉纹饰；原料以泥质或泥质夹砂为主；颜色多呈红色或褐红色，也有无彩陶。代表性器物是陶壶、三足陶钵、筒形罐，其他器物有缸、杯、盆、瓮、碗、鼎、甑等。裴李岗文化时期的房屋为半地穴式建筑，有门道，以圆形为主，也有少量方形的。

贾湖骨笛

　　1986—1987年间，河南舞阳贾湖遗址出土了20多支精致的骨笛，距今约8000年。这批精致的骨笛是中国最早的乐器实物，比古埃及出现的笛子要早2000年，被专家认定为世界上最早的可吹奏乐器，被称为世界笛子的鼻祖。这批骨笛中有5孔骨笛、6孔骨笛、7孔骨笛和8孔骨笛，能够演奏传统的五声或七声调式的乐曲，还能够演奏富含变化音的乐曲。贾湖骨笛打破了中国只有五音的历史，把中国七声音阶的历史提前到8000年前。

贾湖骨笛

半地穴式建筑模型

3. 磁山文化

磁山文化（距今 10300—7000 年左右）主要分布在河北武安、河南淇县等地。磁山遗址出土有大量粮食——粟的炭化遗存，生产工具以磨制石器为主，有石刀、石斧、石铲、石镰、石磨盘等，还出土有狗、猪、鸡等家畜和家禽的骨骼，说明当时经济生活以农业为主，兼事渔猎。制陶业较原始，有夹砂粗红陶、褐陶和泥质红陶。椭圆口盂、靴形支座、三足钵与深腹罐等为典型陶器。陶器表面多饰绳纹、篦点纹等。在磁山遗址还发现一块古玉石，这块古玉石的年龄在 10300 年左右。居住建筑是半地穴式，呈圆形或椭圆形，并有多个储藏东西的窖穴。

磁山文化与裴李岗文化关系密切，有人把两者连称为"裴李岗·磁山文化"。磁山文化的发现填补了中国新石器时代早期文化的重要缺环。

4. 老官台文化

老官台文化因首先发现于陕西华县（今渭南市华州区）的老官台一带而得名，是新石器时代早期陕西和甘肃一带具有代表性的文化，为仰韶文化的源头之一。属于老官台文化的遗址有 10 余处，其中规模较大、同类遗存较丰富的要数甘肃省天水市秦安县大地湾遗址。

大地湾遗址（距今 8000—4800 年）出土了陶、骨、玉、石、角、蚌器等文物近万件，发掘房址 241 座。大地湾遗址的发现对研究黄河流域新石器时代文化的产生、发展以及探索中华文明起源的历史进程具有十分重要的意义。大地湾遗址的彩陶对研究中国绘画的起源和原始社会的绘画艺术有重要学术价值，陶器上发现的刻画符号为研究中国的文字起源提供了极为重要的资料和线索。

大地湾遗址出土的彩陶盆　　　　　　　　有彩绘符号的陶片

（二）新石器时代中期的文化遗存

黄河中游新石器时代中期的文化主要是仰韶文化，时代距今五六千年，因为首先发现于河南省渑池县仰韶村，故被命名为"仰韶文化"。后来在东起豫东平原，西至青海、甘肃，南达汉水流域，北至内蒙古的广大地区，陆续又发现这种类型的文化遗址 1000 余处。遗址中出土有大量石器、陶器、骨器等遗物。从这些遗址发现的陶器多为红棕色素底，并涂有黑色或暗紫色纹饰，这些彩绘成为仰韶文化区别于其他文化的重要特征。此外，遗址中还有冶炼铜器的遗迹。

仰韶文化遗址较为集中的区域在陕西关中、山西南部和河南大部，分别承袭老官台文化、裴李岗文化和磁山文化，其发展经历了 2000 年左右的时间。仰韶文化遗址主要有陕西西安半坡遗址，河南渑池仰韶村遗址、郑州大河村遗址、巩义双槐树遗址等。仰韶文化时期，人类已经过着定居生活，能够建造房屋，并形成了聚落，仰韶文化这一阶段的发展和进步，奠定了黄河流域农业文明的基础。

1. 半坡遗址

渭河发源于甘肃，奔腾东流注入黄河，横贯陕西中部。渭河流域支流密布，土地肥沃，人称"八百里秦川"。半坡遗址就在秦川上，距今6000多年。

半坡遗址于1953年被发现。此后，中国考古工作者先后对半坡遗址进行了多次较大规模发掘，共计发掘面积1万平方米，发现有房屋遗迹45座、窖穴200多个、墓葬250座、圈栏2

半坡遗址茅屋复原图

座、制陶遗址6座，以及生产工具和生活用具约1万件。在2002—2005年的发掘中，又发现了祭祀遗迹和石砚等重要遗物，这对半坡遗址的聚落形态、文化内涵和社会性质研究具有重要价值。

半坡人用的生产工具主要有石斧、石铲、石锄、石锛、矛头、箭头、鱼钩、鱼叉、纺轮、骨针等，还有石制研磨器（包括磨石和磨臼）；生活用具主要为彩陶器，种类有钵、盂、碗、盆、盘、杯、罐、缸、瓶、釜、鼎、瓮等。半坡遗址还发现了粟类等粮食作物，在一只陶罐里还保存着炭化了的菜籽（系属于白菜、芥菜一类的种子）。彩陶器上多绘有各种图形，器物表面多饰有绳纹、线纹，还绘有人面、鹿、鱼及植物等花纹，红底黑纹。在一些陶钵的口沿上刻有符号，有二三十种之多。

半坡遗址出土的人面鱼纹彩陶盆

2. 大河村遗址

大河村遗址位于郑州市的东北郊，是一处包含有仰韶文化、龙山文化和夏、商四种不同时期考古学文化的大型古代聚落遗址。1972—1987年，考古工作者对此先后进行过21次考古发掘，发现各类房基47座、窖穴297座、墓葬354座，出土完整或可复原的陶、石、骨、蚌、牙、角、玉等不同质地的遗物3500余件。大河村先民们在此居住长达3300多年，经历了原始社会母系氏族的繁荣阶段、父系氏族阶段和夏、商时期，大河村遗址是中原地区远古文化发展的历史缩影。

大河村遗址中出土彩陶数量多，器型丰富，色彩绚丽多姿，图案丰富，在仰韶文化中独树一帜。其中的红衣彩陶、白衣彩陶和丰富多彩的装饰图案、高超娴熟的绘画手法、种类繁多的器物类型，标志着史前彩陶文化达到了高峰。其中最有代表性的彩陶双连壶、白衣彩陶钵、X纹彩陶罐是不可多得的原始艺术珍品。大河村彩陶绘有太阳纹、月亮纹、星座纹、彗星纹等天文星象图案，对研究我国古代天文学和历法的产生与发展具有重要的价值。

在大河村遗址中发现的各类遗址聚落形态完整、功能布局明确，尤其是屋基遗址，令人惊叹。

彩陶双连壶

彩陶双连壶

彩陶双连壶为泥质红陶，做工精细，造型大方，纹饰简洁明快，特别是其独特的器型，利用了连通器的原理。彩陶双连壶可能是结盟时部落首领共饮的酒器，也许寓意团结、平等、沟通、友谊等，是新石器时代仰韶文化的艺术精品。

3. 双槐树遗址

位于黄河与洛河交汇处的河洛地区，古有"居天下之中"的说法。站在双槐树遗址高处，黄河两岸风光尽收眼底。双槐树遗址面积达117万平方米，发现有仰韶文化中晚期阶段三重大型环壕、大型连片块状夯土遗迹、封闭式排状布局的大型中心居址、三处经过严格规划的大型公共墓地、三处夯土祭祀台遗迹等，并出土了一大批仰韶文化时期的文化遗物。经过连续多年考古研究，确认双槐树遗址是距今约5300年的仰韶文化中晚期巨型聚落遗址，专家建议命名为"河洛古国"，也有专家认为，双槐树遗址可能是黄帝时代的都邑所在。

双槐树遗址

河洛古国宏大的建筑规模，严谨有序的布局，所表现的社会发展模式和承载的思想观念，被后世夏、商、周王朝所承袭，中华文明的主根脉愈加清晰。

双槐树遗址的发现，补充了中华文明起源关键时期、关键地区的关键证据，证实了在5300年前后河洛地区是当时最具代表性和影响力的文明中心。

在这一阶段，文化上的中国已经形成雏形，以双槐树遗址为中心的仰韶文化中晚期文明，堪称"早期中华文明的胚胎"。

在这里还发现了国宝级的文物——中国最早的骨质蚕雕艺术品。它表明当时黄河中游地区的先民们已经养蚕缫丝。

随着河南荥阳的汪沟遗址、青台遗址，郑州西南郊区的黄岗寺遗址等一系列仰韶文化城址的发现，一个具有早期城市群性质的大型聚落集团面貌逐渐清晰，形成了黄帝时期中华文明起源的重要核心地区。

（三）新石器时代晚期文化遗存

黄河中游地区的新石器时代晚期文化遗存是龙山文化。

1928 年春，考古学家吴金鼎在山东省济南市章丘区龙山镇发现了举世闻名的城子崖遗址。此后，考古学家们先后对城子崖遗址进行多次发掘，出土了一批精美的磨光黑陶。根据这些发现，考古学家把这些以黑陶为主要特征的文化遗存命名为"龙山文化"。龙山文化距今约 4000 年，广泛分布于黄河中下游的陕西、山西、河南、山东等省。这一时期文化最显著的特征是城址的发现。主要城址遗址有两城镇遗址、黑堌堆遗址、陶寺遗址、尧王城遗址、藤花落遗址、丁堌堆遗址、景阳冈龙山文化城遗址等。

人们以农业为主，兼营狩猎、捕鱼、养牲畜。龙山文化时期的工匠们手艺巧夺天工，他们能制造出厚度在 0.2 毫米到 0.5 毫米的蛋壳黑陶杯——"黑如漆，亮如镜，薄如纸，硬如瓷"。现存的完整的蛋壳黑陶杯极少，每一件都是国宝，代表了新石器时代古人制陶的巅峰水平。龙山文化时期的制玉水平有了很大的发展和提高，龙山文化玉器种类丰富，大多造型优美、琢磨精致、晶莹圆润，具有较高的艺术水平。

龙山文化的特点是以农业为主，畜牧业比较发达，已经进入父系氏族公社时期。龙山文化是黄河下游地区直接承袭大汶口文化发展起来的古文化之一，历史上夏、商、周的文化都与龙山文化颇有渊源。

二、黄河上游的新石器时代文化遗址

黄河上游的青海东部，甘肃的洮河流域、渭河的上游和河西走廊的东部，宁夏回族自治区的南部，可以归为一个文化区系。该地区的新石器时代文化主要有马家窑文化和齐家文化。

1. 马家窑文化

马家窑文化是黄河上游具有独特风格的一种新石器时代文化，因 20 世纪 20 年代初首先发现于甘肃临洮马家窑而得名。马家窑文化在黄河上游分布范围广泛，东起泾河、渭河上游，西到龙羊峡附近，北达宁夏清水河流域，南至四川岷江流域汶川县地区。在此广大地区内，分布着马家窑文化遗址 400 多处。马家窑文化的年代距今 5000 多年，大约经历了 1000 年的发展。

马家窑文化遗址有村落、房基、灰坑、墓葬等遗迹。生产工具以磨制石器（石斧、石镰、穿孔石刀、磨谷器、石纺轮）为主，也有打制石器（石铲、石刀、盘状器等），还有骨铲、骨镞、陶刀和陶纺轮。马家窑文化的制陶业发达，最有特色的陶器是彩陶。陶器以泥质红陶和砂质红陶最多，泥质灰陶较少，制法主要是手制，也有模制。有碗、盆、钵、罐、壶、瓮、瓶、杯、樽等器物。陶器纹饰丰富，有弦纹、附加堆纹等。马家窑文化的彩陶延续发展数百年，形成了彩陶艺术发展的高峰。

马家窑文化遗址中多有粟粒和粟穗遗存，可知当时农业以种植粟为主。

属于马家窑文化的陶器

马家窑文化的村落遗址一般位于黄河及其支流两岸的台地上，房屋多为半地穴式建筑，也有在平地上起建的，房屋的形状有方形、圆形和分间三大类，以方形房屋最多。

马家窑文化的墓葬中，随葬品在数量和质量上都存在着差别，越到晚期差别越大。这说明贫富差距在增大，标志着原始社会逐步走向解体和阶级社会的来临。

2. 齐家文化

齐家文化主要分布在甘肃、青海两省境内的黄河及其支流流域，其名称来自齐家坪遗址。齐家坪遗址位于甘肃省的临夏回族自治州，是一处新石器时代晚期文化遗址，总面积约 1.5 平方千米。齐家坪遗址发现有多处房屋、窖穴、墓葬遗迹，出土有石器、骨器、陶器、玉器等生产工具和生活用具。此外，在齐家坪遗址还出土有铜镜一面，这是迄今为止发现的中国最早的铜镜。

齐家文化星纹铜镜

齐家文化在青海省境内最典型的是喇家遗址。喇家遗址位于青海省海东地区民和回族土族自治县官亭镇，是由于地震和黄河洪水等因素叠加形成的一处大型灾难遗址，被誉为"东方庞贝古城"。2001 年，喇家遗址被列为全国重点文物保护单位，并被评为当年度"中国十大考古新发现"之一。

齐家文化上承马家窑文化，是新石器时代晚期至青铜时代早期的文化。齐家文化的经济生活以农业为主，种植粟等农作物，生产工具主要是石器、骨器，有石斧、石刀、石镰、石磨盘、石磨棒、石杵等。齐家文化的畜牧业发达，饲养的家畜有猪、狗、羊、牛、马等。齐家文化的陶器独具特色，主要有夹砂红褐陶、细泥红陶，还有少量的泥制彩陶和灰陶。齐家文化晚期出现了红铜、铅青铜和锡青铜，表明齐家文化晚期已进入青铜时代。

三、黄河下游地区的新石器时代文化遗址

黄河下游的山东、河南东北部、江苏、安徽北部地区也是中华民族古代文化的重要发祥地，分布有较多的新石器时代遗址，代表性文化为后李文化、北辛文化、大汶口文化、龙山文化。主要遗址有山东临淄后李遗址、滕县北辛遗址、泰安大汶口遗址、章丘龙山镇城子崖龙山文化遗址等。

大汶口遗址位于山东省泰安市岱岳区大汶口镇和宁阳县磁窑镇，总面积约82.5万平方米，是6100—4600年前的新石器时代晚期父系氏族遗址。大汶口遗址包含北辛文化、大汶口文化、龙山文化三个阶段的文化遗存，尤以大汶口文化遗存最具代表性。

大汶口遗址发现墓葬、陶窑、房址等遗迹100余处，并出土了大量石器、玉器、陶器、骨器和牙角器等生产生活用具，还有背壶、钵形鼎、镂孔豆、彩陶豆、高柄杯以及磨制精细的石铲、石斧、石凿、石锛、骨器等。出土的陶器主要分为灰陶、红陶、黑陶、白陶和彩陶。

大汶口遗址的发现为山东地区的龙山文化找到了渊源，也为研究黄淮流域及山东、浙江沿海地区的原始文化提供了重要的线索。

黄河流域的早期文化具有鲜明的农耕特色。公元前4000年到公元前2000年，是黄河文化的形成时期。这一时期，黄河流域出现了原始农业，农业种植逐渐成为主要生产方式。农作物种类从粟到稻、菽、麦、黍，产量也日渐提高。随着农业的发展，开始出现家畜、家禽饲养，把牛、羊、马、猪、鸡驯化为家畜、家禽。手工业出现并逐渐与农业分离，制陶技术相当成熟，纺织，木器、漆器加工，金属冶铸等也已出现，为后世手工业发展奠定了基础。黄河流域的早期文明数量庞大，分布广泛，并具有一脉相承的连贯性。从旧石器时代到新石器时代，黄河流域的文明始终处于最发达的地位。

第三节　口耳相传的远古神话

　　黄河流域的远古神话，是远古历史的回音，记录了中华民族在它童年时代的瑰丽幻想、顽强抗争以及步履蹒跚的足印，同时在一定程度上影响了中华民族精神的形成及特征。中国远古神话中那些英雄为了达到理想，依靠顽强的精神和坚忍不拔的毅力，自强不息、不屈不挠，与恶劣的环境抗争。这些优秀品质经过世世代代的丰富发展，都成为中华民族精神的有机组成部分，激励着一代又一代人。

一、盘古开天辟地

　　万里黄河走天地，自古一线穿壶口。黄河中游壶口之滨的宜川流传着盘古开天辟地的神话故事。"天地混沌如鸡子，盘古生其中。万八千岁，天地开辟，阳清为天，阴浊为地。"在宜川东南部集义镇境内，就有一座盘古山，它东临黄河，巍巍雄立。

　　盘古的传说在陕北广为流传，据《宜川县志·吴志》载，"在县东南一百四十里，孤峰突起，俯视万山，中有井，盛夏犹多积雪，石竭剥落难晓，传为盘古氏卜婚处"。意思就是说，宜川盘古山传说是盘古当年订婚的地方。照此说法，古老的盘古山就在宜川境内的梁山之中，梁山不但有盘古山、盘古庙，还有盘古打造石磨（当地人把石磨叫碹子）的碹子山。另外，在这一带有许多关于盘古的传说故事，还有盘古鼓和盘古秧歌，民间剪纸也有与盘古有关的题材。

　　盘古开天辟地，又把一切都献给了天地，让世界变得丰富多彩，彰显了先人坚持不懈、不畏艰难的开辟精神和无私奉献精神。盘古文化的精髓蕴含着敢为人先、开拓创新的宏大胆识，蕴含着以人为本、无私奉献的价值观。盘古文化是中华民族优秀文化的重要组成部分，这一珍贵的历史文化，与中华民族的其他优秀文化交相辉映。

二、女娲造人、补天

盘古开天辟地之后，大地上有了山川河流、日月星辰、风雨雷电、花草树木、鸟兽虫鱼。不知什么时候起，大地上出现了一位女神女娲，她在辽阔的天地间放眼四望，山岭起伏，江河奔涌，森林茂密，草木旺盛；天上鸟儿飞鸣，地上百兽奔驰，水中鱼儿嬉戏，草中虫豸跳跃，世界相当美丽。

女娲用黄河水把黄土和成黄泥，用黄泥照自己的样子捏了许多泥人，女娲对着泥人吹了口气，泥人都活了。从此，世界上有了人类。女娲还制定了婚姻制度，人类繁衍了下来，过着幸福的生活。

后来，水神共工和火神祝融交战。共工大败，恼羞成怒，一头向擎天柱不周山撞去，竟将擎天柱撞折了，霎时天崩地裂，江河泛滥，龙蛇猛兽出来残害人类，人类陷入空前的大灾难之中。女娲不忍人类受此灾难，于是炼五色石补天。天补好后，女娲又用巨龟的四腿做擎天柱。女娲还擒杀残害百姓的黑龙，并将猛兽赶回森林。最后，为了堵住泛滥的洪水，女娲收集了大量的芦草，把它们烧成灰，堵塞四处漫流的洪水。人们又过上了安居乐业的生活。

现在，四川雅安，陕西骊山，山东日照，山西吉县、晋城、洪洞县，以及河南三门峡、新密等地均有纪念女娲的遗迹。传说女娲姓风，她的墓葬在黄河边，名风陵，现在山西芮城县黄河边的风陵渡就因此而得名。相传骊山为女娲炼五色石所乘坐的骏马幻化而成。也有史料记载，女娲墓在三门峡灵宝境内，女娲的主要活动地点可能在三门峡及其周边地区。据《阌乡县志》（阌乡县于1954年并入灵宝）、《三门峡史话》记载，女娲炼石补天在阌乡县境内。阌乡县盛产金、铜、铅、铁、铝等，可为女娲炼五色石提供原料。在灵宝故县镇黄河岸边，有一个村子为了纪念女娲"积芦灰以止淫水"的功绩，特意命名为"芦台村"。在河南新密，流传着伏羲、女娲在此躲避洪水、滚磨成亲和女娲抟土造人、炼石补天等神话传说。与传说有关的地点有补国城遗址、牛店女娲娘娘庙、青石河女娲娘娘庙、女娲炼石补天处、女娲洞、伏羲女娲祠、磨合沟等。

从女娲抟黄土造人和女娲补天的神话故事中，可以感受到从人类之初祖开始，黄河、黄土、黄种人就有了不可分割的关系。从女娲补天的神话传说中，可以看出女娲还会疏浚河道、治理水患。例如"补天"用的石料、芦灰等可能都是早期治水所用的材料。黄河喜怒无常，水患不绝，女娲补天的神话折射出当时的母系氏族社会对黄河水患的恐惧以及对治理黄河水患的美好愿望。

三、伏羲一画开天

相传远古时期，黄河流域的渭水上游有一个氏族部落，他们的首领叫伏羲。伏羲模仿自然界中的蜘蛛结网结绳为网，用来捕鸟打猎，并教会了人们渔猎的方法，同时教民驯养野兽，提高了人类的生产能力。伏羲变革婚姻习俗，倡导男聘女嫁的婚俗礼节，使血缘婚改为族外婚，结束了原始群婚状态。伏羲发明陶埙、琴瑟等乐器，创作乐曲歌谣，将音乐带入人们的生活。伏羲还创造了文字，使人们结束了结绳记事的历史，从此步入天地开化的文明纪元。

在当时，人们对大自然一无所知，面对下雨刮风、电闪雷鸣、日月星辰的运转，既害怕又困惑。伏羲想把这一切都搞明白。于是，他时常盘坐山巅，仰观日月星辰的变化，俯察周围的地形方位，有时还研究飞禽走兽的脚印和它们身上的花纹，苦思宇宙的奥秘。

一天，伏羲在蔡水中捉到了一只白龟。伏羲凿了一个大水池，把白龟养在里面，他常常临池观看。白龟龟甲上的纹理引起了伏羲的注意，他聚精会神地观察了很久很久，终于，他理解了龟背上纹理的含义，悟出了天地万物的变化规律，唯一阴一阳而已。伏羲洞察自然，明白了其中的奥秘，画出先天八卦图。黄河流域的宁夏、甘肃、河南、山东等地都有伏羲文化遗存。

据史书记载，人文始祖伏羲出生在陇山的雷泽，即今天宁夏隆德县观庄乡境内的北联池。也有说伏羲出生地名称为古成纪，大概在今甘肃省天水市（天水有"羲皇故里"之称）的秦安县一带。甘肃省天水市有规模壮观的伏羲庙（又称太昊宫）和八卦台。人们将伏羲创造发明八卦的地方称为八卦台、画卦台或者伏羲台等。在河南淮阳和巩义都有此类纪念性建筑，并流传着伏羲作画演绎八卦的故事。

河图洛书

上古时期，伏羲和他的族人生活在黄河边。一天，黄河里出现一只身体像马、头像麒麟的怪物，人们就将这个凶猛的怪物称为龙马。经过多次和龙马的搏斗，伏羲慢慢地将龙马驯服，使其成了自己的坐骑。伏羲发现，龙马的背上旋起的白毛形成圆点，组成"一六居下，二七居上，三八居左，四九居右，五十居中"的图形，这便是"河图"。

而在大禹治水期间，从洛阳西洛宁县洛河里浮出一只神龟，神龟的背上长有纹、圈、点，自列成组，这就是"洛书"。大禹依此治水成功，遂划天下为九州。又依此定九章大法，治理社会，其内容流传下来收入《尚书》中，名《洪范》。

相传在河南省会盟镇，黄河与支流图河交汇处，即为"龙马负图"的地方，建有龙马负图寺；而洛宁县西长水村，洛河与其支流玄沪河交汇处，相传是"神龟负书"之处，有"洛出书"的石碑。

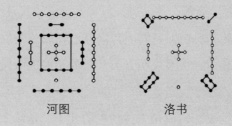

河图　　　　　　洛书

天水伏羲庙

四、三皇五帝

　　"三皇五帝"是"三皇"和"五帝"的合称，是传说中远古时期的帝王，也是传说中我们的人文始祖，按照古书上的记载，"三皇五帝"说法不一。"三皇"有多种说法：一是天皇、地皇、人皇，二是天皇、地皇、泰皇，三是伏羲、神农、祝融，四是伏羲、女娲、神农，五是燧人、伏羲、神农，六是伏羲、神农、黄帝，等等。"五帝"所处时间在三皇之后，夏代以前。关于"五帝"也有多种说法：一是伏羲、神农、黄帝、尧、舜，二是黄帝、颛顼、帝喾、尧、舜，三是少昊、颛顼、帝喾、尧、舜，等等。燧人、伏羲、神农这一"三皇"序列反映了中国原始先民由旧石器时代向新石器时代的发展过程，燧人表明人类对火的发现和利用，伏羲表明人类社会处于渔猎阶段，神农表明人类已进入农耕时代。而"五帝"都是原始社会末期部落或部落联盟的首领。

　　"五帝"中的少昊，传说是太昊伏羲的儿子，延续太昊之法，故称为少昊；另一说其为黄帝的儿子，其母嫘祖。在少昊诞生的时候，天空有五只颜色各异（红、黄、青、白、玄）的凤凰飞落在少昊氏的院里，因此他又被称为"凤鸟氏"。少昊以凤鸟为图腾，所辖部族以鸟为名，有鸿鸟氏、风鸟氏、玄鸟氏、青鸟氏等，共 24 个氏族。少昊少年时到东夷部落联盟里的最大部落凤鸿氏部落历练。后来，少昊娶凤鸿氏之女为妻，成为凤鸿氏部落的首领，后又成为整个东夷部落的首领。少昊死后葬于云阳山（山东曲阜城东门外的一个小山丘）。现在曲阜市城东仍有一座少昊陵。

颛顼，是黄帝的孙子，他的父亲是昌意，因辅佐少昊有功，封于高阳。少昊死后，共工氏与颛顼争夺帝位，颛顼打败共工，成为部落首领，始都穷桑，又迁都商丘，后居帝丘（今河南濮阳境内）。他即位后，严格遵循黄帝的政策行事，社会安定太平。帝喾是黄帝的曾孙，颛顼的侄子。后来帝喾成为部落首领，深受百姓爱戴。颛顼、帝喾死后，葬于今河南内黄县城外，陵墓称"二帝陵"。

尧、舜是远古时代两位著名的贤君。传说尧是帝喾的儿子，封于陶唐，历史上又称其为唐尧。尧继位后建都于平阳（今山西临汾市）。尧在主政期间，关爱百姓，派神箭手后羿射日，派鲧治水，整饬百官，确定祭祀，配以乐舞，并且制定历法，推广农耕。尧是司马迁认为的最理想的君主。今临汾市东北有尧陵，城南有尧庙，庙内有古井，传说是尧亲手开凿。舜孝顺友爱，被尧选为接班人。为了考验舜，尧派舜去历山耕田，去雷泽捕鱼，去河滨制陶，舜都干得很好。舜即位后，选贤任能，狩猎四方，整顿礼制，减轻刑罚，行厚德。在舜的治理下，天下太平，人民安居乐业。舜晚年南巡，病死苍梧，葬于九嶷山，今湖南宁远县有舜陵。

"三皇五帝"汉画像石图案

五、炎黄逐鹿中原

上古时代，黄河流域的人们按照血缘关系组成了氏族，很多氏族又联合起来组成了部落。黄帝和炎帝就是其中两大部落的首领。黄帝，以姬为姓，号轩辕氏、有熊氏。炎帝，以姜为姓，号烈山氏，也有说法认为炎帝即神农氏。他尝百草，用草药治病；发明刀耕火种，创造了翻土农具，教民垦荒种植粮食作物；他还领导部落众人制造出了饮食用的陶器和炊具。

炎帝部落最初居住在今陕西一带，后逐渐东迁。黄帝部落顺北洛水南下，又东渡黄河，沿中条山、太行山向东北发展。炎帝部落也有一部分人顺渭水东下，沿黄河南岸向东发展。他们在东进过程中，和东夷部落联盟不断融合，不断扩大自己的势力。

为了争夺领导权和宜农土地，炎帝部落和黄帝部落就打起仗来。经过一场大规模的战争，炎帝部落被打败，归顺于黄帝部落。他们联合在一起组成了炎黄部落联盟，黄帝成了这个联盟的领袖。

炎黄二帝联合后，势力大增。与此同时，兴起于黄河下游的东夷集团蚩尤部落，自视强大，先与炎帝部落发生冲突，炎帝战不过蚩尤，向黄帝求援。于是，黄帝率部加入激战，与蚩尤族大战于涿鹿之野（即涿鹿之战）。相传战争初期，恰逢浓雾和大风暴雨天气，蚩尤族能较好地适应这种天气，炎黄联盟曾经九战九败。待雨季过去，天气晴朗，炎黄联盟把握战机，在玄女族的支援下，乘势发动反击。黄帝在狂风大作、尘沙满天之时，吹号角，击战鼓，以指南车指示方向，调动部众向蚩尤族进攻，一举击败蚩尤。

黄帝战胜蚩尤，东夷集团与炎黄部落融合。部落之间经攻伐、合并，形成部落联盟，黄帝部落实力和声望大增，黄帝被推举为部落联盟首领。

黄帝定都有熊以后，致力于各族的繁荣与发展，他选贤任能，设官司职，治理天下。黄帝划野分州，封官司职，设三公（风后、天老、五圣）、六将（常先、大鸿、大隗、力牧、太山、应龙）、史官（仓颉、沮涌），设左右太监，监于万国,建立的部落联盟体制成为国家的原型。其疆域以今河南、河北为中心,东至渤海,西至陇右,北达燕山,南抵长江。相传黄帝于甲子元年(公元前2697年)二月二日正式登基。中国民间"二月二龙抬头"的说法就源于此。黄帝和炎帝时期逐渐形成华夏族,黄帝、炎帝被尊奉为"华夏始祖"。

炎帝部落的活动范围很广,相传长江流域和黄河流域都有其活动遗迹,在黄河流域的陕西、山西、河南都有代表炎帝文化的遗存。

陕西宝鸡有"炎帝故里"美誉,宝鸡市渭滨区神农镇的常羊山上有炎帝陵。在宝鸡已发现关桃园遗址(约8000年前)、北首岭遗址(约7000年前)、姜城堡遗址等古文化遗址40多处。山西高平也保存了大量的炎帝文化遗迹。相传炎帝曾活跃在今山西东南部一带。他"尝百谷,制耒耜,教民农耕",传说炎帝还是医药的发明者,后因尝百草中毒而亡。

神农氏小故事

传说神农尝百草,教人医药与农耕。《白虎通义》记载:"古之人民,皆食禽兽肉,至于神农,人民众多,禽兽不足,于是神农因天之时,分地之利,制耒耜,教民农作。神而化之,使民宜之,故谓之神农也。"这说明神农氏当时所处的时代人口逐渐增多,飞禽走兽越来越少,食不果腹,是渔猎到农业过渡时期。"于是神农乃始教民播种五谷"。

在《拾遗记》中有这样一段有趣的记载:一天,一只周身通红的鸟儿,衔着五彩九穗谷,飞在天空,掠过神农氏的头顶时,九穗谷掉在地上,神农氏见了,拾起来将其埋在土里,后来竟长出一片。他把谷穗在手里揉搓后放在嘴里,感到很好吃。于是他教人砍倒树木,割掉野草,用斧头、锄头、耒耜等工具开垦土地,种起了谷子。

神农的出现,标志着我国已经步入农耕文化历史阶段,是从渔猎到农业过渡时期的象征。这些带有神话色彩的传说，反映了我们祖先与大自然斗争的艰辛、在文明的道路上所付出的努力和表现出来的敢为人先、艰苦奋斗、百折不挠、自强不息的精神。

炎帝死后葬于今高平市神农镇庄里村（庄里村原名装殓村，因炎帝死后在这里装殓而得名，后以谐音改为庄里），高平市还有以炎帝行宫、神农庙、炎帝陵为代表的宫、庙、陵、祠等纪念性建筑，以及记载炎帝事迹的碑碣100多通。

"千古文明开涿鹿。"中华民族文化原始记忆中的画卷由此展开。河北涿鹿境内有黄帝城、黄帝泉、黄帝祠、轩辕湖、定车台、釜山、桥山等大量有关纪念黄帝的遗迹。

河南新郑为传说中黄帝出生和建都的地方，新郑始祖山有两座山峰紧密相依，酷似神情庄重威严的炎黄二帝，当地人称它们为"二帝峰"。每年阴历三月三，在河南新郑有黄帝故里拜祖大典。

相传陕西黄陵县是黄帝升仙的地方。黄帝驭龙而飞，臣民将黄帝的衣物、靴袜等掩埋在桥山之上，起土成冢，作为永久拜谒纪念之陵墓。每年清明节，陕西黄陵县会举行黄帝陵祭祖大典。

六、大禹治水

黄帝之后，又出现了几位杰出的部落联盟首领，他们就是尧、舜、禹。

早在黄帝、炎帝时期，黄河流域已有洪水之患。到尧的时候，水患更加严重。洪水泛滥，淹没了庄稼、山陵、房屋，百姓流离失所，不能安居乐业。

在这种情况下，尧决心要消灭水患。尧先是派鲧去治理黄河水患。鲧采用堵的方法筑堤防水。鲧用了9年治水，都没有成功，后被处死。舜接替尧做部落联盟首领，后把治水的大任交给了鲧的儿子禹，又派伯益和皋陶等人协助他。大禹仔细研究了父亲的治水方法，认真分析了父亲治水失败的原因，吸取了父亲采用堵截方法治水的教训，采用疏导治水的新方法。

大禹根据山川地理情况，将疆域分为九个州：冀州、青州、徐州、兖州、扬州、梁州、豫州、雍州、荆州。他把九州的山山水水当作一个整体来治理，他先治理土地，使荒地变成沃土，同时，把地势较高的地方修整得更高，把地势比较低的地方挖得更深，陆地和湖泽变得分明。然后，他又治理岐山、荆山、雷首山、太岳山、太行山、常山、砥柱山、碣石山、太华山等。土地、山治理好了以后，大禹就开始理通水脉。黄河水系有主流和支流之分，他把主流河床加深加宽，疏通支流，使其与主流相接，这样，支流的水都归向主流。他将湖泽与支流连接起来，河水之间多了互通，洪水的威力就变弱了，洪水沿着河道顺畅地流向大海。龙门山在梁山的北面，大禹将黄河水疏导到梁山时，不料被龙门山挡住了。大禹察看了地形，觉得这地方非得凿开不可，于是选择了一个最省工省力的地方，只开了一个 80 步宽的口子，就将水引了过去。

> **"鲤鱼跳龙门"的故事**
>
> 因为龙门太高了，许多逆水而上的鱼到了这里，就游不过去了。许多鱼拼命地往上跳，但是只有极少数的鱼能够跳过去，这就是"鲤鱼跳龙门"，据说只要能跳过龙门，鱼马上就会变成一条飞龙。

大禹不辞辛劳，日夜苦干，曾三过家门而不入。经过 13 年艰苦卓绝的治水斗争，洪水终于被治服，顺着河道向东流向大海，人们又过上了安居乐业的生活。舜死后，大禹因治水有功，继任部落联盟首领，创建了我国历史上第一个奴隶制国家——夏。大禹治水安三代，此后便有夏、商、周及之后中华文明的各个朝代的辉煌历史。

大禹治水的文化遗迹在黄河流域随处可见。宁夏的青铜峡不仅有青铜禹迹、禹王神洞、禹王庙，更有历代文人墨客留下的盛赞大禹功绩的诗词歌赋。

山西河津地处龙门山南，运城市西北隅，黄河、汾河交汇之处。大禹当年凿开的龙门就在河津，后人为纪念大禹功德，尊称龙门为禹门，又因禹门是秦晋交通要冲的古渡口，也称其为"禹门口"。河津还有大夏禹王庙、禹王洞、鸽子庵、错开河。此外，四川北川县有纪念大禹的禹庙、禹穴、禹王宫、禹穴沟、岣嵝碑（禹碑）等；陕西韩城县有禹门；山东禹城有禹王亭；河南洛阳有大禹凿龙门，开封有禹王台，禹州有禹王锁蛟井，安阳有鲧堤与禹河故道；等等。

　　大禹因势利导，遵循自然规律，克服重重困难，终于取得了治水的成功。大禹作为一种文化符号展现了中华民族所崇尚的不畏艰险、百折不挠、勤劳勇敢、大公无私的品德，由此形成以公而忘私、民为上、民为本、勇于革新等为内涵的社会价值认同，成为筑就中华民族精神的基石。

开封禹王台

第二章

连绵不绝的黄河文明

黄河，孕育了灿若星河的黄河文明，泛起的每一个涟漪都承载着悠久的历史。在这里，诞生了璀璨绚丽的物质文明和精神文明，为中华文明乃至世界文明作出了无可替代的贡献。

第一节　追寻农耕文明足迹

文明起源于河流，人类及其社会生态系统的发展与河流互为依存，密不可分。河流为人们的生产、生活提供淡水资源和丰富的生物资源，并且为人类迁徙提供了便利。人类逐水而居，文明逐渐产生。河流就像一条条血管，把整片广阔的大地连通起来，那些密布的河网，就是人类文明的纽带。

我们的祖先在这片广袤的土地上生息繁衍，经过了世世代代的传承与发展，创造出光辉灿烂的农耕文明，拉开了黄河文明发展的序幕。

一、远古农耕文明开启

"日出而作，日入而息。凿井而饮，耕田而食。帝力于我何有哉！"《击壤歌》这首淳朴的民谣，把我们带回到那个远古的农耕时代。《帝王世纪》记载："帝尧之世，天下大和，百姓无事。有八九十老人，击壤而歌。"这位八九十岁的老人所唱的歌就是《击壤歌》。

据说这首歌谣传于距今 4000 多年前的尧帝时代，那时，天下太平，百姓安居乐业，太阳升起就去劳动，太阳下山就回家休息，凿一口井用来饮水，耕田劳作获取食物。歌谣生动展现出上古农耕时代人们幸福生活的场景，这也是农耕文化的显著特点，原始的自由安闲和自给自足的简单快乐，是劳动者自食其力生活的真实写照。

回望历史，黄河流域的农耕文明恰如一曲厚重磅礴的歌谣从远古传来。人类有着选择最优自然环境为生存条件的本能，人们依河而居，依河而兴，在黄河流域内，分布着数以万计的古人类遗存。蓝田人、大荔人、丁村人、许家窑人、河套人都在黄河的臂弯里生息、繁衍。在农耕出现之前的漫长岁月中，我们的祖先依靠原始采集和渔猎生活。

大约距今1万年前，人类逐渐驯养动物，并且学会了辨认果实和种子。先民们在长期的实践观察中发现，植物的籽粒随风飘落后会从土壤里长出新的植物，于是就把采集到的植物籽粒种植在居住地的周围，并打制石器，制造生产工具"以垦草莽"，开始了刀耕火种的最原始的农业耕作，奏响了黄河文明的序曲。这是人类历史上生产方式的第一次变革，实现了从采集、渔猎向农耕、畜牧的转变，人类进入了原始农业阶段。

原始农业的基本特征

一是生产工具简单落后，以石刀、石铲、石锄和棍棒等为主。

二是耕作方法原始粗放，采用刀耕火种。刀耕火种是原始农业的耕作技术。宋代以后这种耕作方法在一些地方仍在使用，称为"畲田"。

三是主要从事简单协作的集体劳动，获取有限的生活资料，维持低水平的共同生活需要。

黄河流域是世界上古老的农业发源地之一，自然物产也丰富多样，这与黄河流域得天独厚的自然条件是分不开的。远古时期，黄河中下游地区气候温和，四季分明，雨量充足，降水比现在要丰沛许多，这种温暖湿润的气候条件不但适宜原始人类居住生存，还有利于农业的发展。

在原始社会，由于生产力低下、生产工具简陋，人们更加依赖大自然。广阔的黄土地土质疏松、细软，土壤肥沃，便于耕作。流域内地下水水位低，黄土土壤结构优良，储水和排水能力强，易于抗旱抗涝。尤其是土壤中含有丰富的氮、磷、钾等物质，更有利于农作物生长。

二、源远流长的原始农耕文明

据目前的考古发掘资料，黄河流域的原始农业产生于新石器时代早期。如裴李岗文化、磁山文化、仰韶文化、大汶口文化、龙山文化、马家窑文化、齐家文化等，都包含有典型的农业文化因素。这些远古文化遗址陆续出土了大量文物，使得沉寂几千年的文化瑰宝展现在世人面前，有助于我们了解这一时期的农业概况。

我国黄河流域种植粟的历史非常悠久。《史记·周本纪》中记载，武王克商后，为了赈济贫弱，曾经"发巨桥之粟"，可见当时已有规模相当的粟仓。粟的野生种俗称"狗尾草"，先秦文献称之为"莠"。

距今 7000 多年的河北磁山遗址中，发现了大量窖藏的粟，这些粮食经过几千年之后体积已经大大缩减，有学者推测，最初窖藏粮食的体积大约有 109 立方米，如此大的粮食储存量说明当时已经有了较为发达的农业。

粟的出土尤其是粟的标本公诸于世之后，引起了国内外专家的极大重视。以往的研究认为粟起源于埃及、印度，而磁山遗址粟的出土提供了我国粟出土年代为最早的证据。这一发现，把我国黄河流域植粟的历史提前到距今 7000 多年，也修正了目前世界农业史中对植粟年代的认识。遗址中发现了多种动物骨骸，其中家鸡、家猪、家犬的骨骸最引人注目。磁山遗址出土的家鸡骨骸是至今我国发现的最早的家鸡骨骸，其年代比原来认为的世界最早饲养家鸡的印度的记录要早 3300 多年。

磁山遗址中出土有不少农业劳动生产工具如石斧、石铲、石刀、石镰和粮食加工工具石磨盘、石磨棒等。石磨盘和石磨棒是用于给谷物脱壳的工具，凝聚着原始人的高度智慧。这些工具不仅数量众多，而且形制规整，十分引人注目，成为磁山文化的代表性器物。

石磨盘作为贯穿整个农耕历史的器具，是最能代表农耕文化的实物。1991 年，河南省扶沟县西店村北的黄土岗上发现一件石磨盘，长 100 厘米，宽 32.5~44 厘米，厚 3.5 厘米，通高 8.5 厘米，平面呈长椭圆形，是用整块黄砂岩磨制而成，但没有使用痕迹。经鉴定，它属于新石器时代的裴李岗文化，是迄今我国发现的时代最早、形制最大的石磨盘。

考古学家认为，在裴李岗文化时期，这里的居民在丘陵和台地上用耒耜、石斧、石铲进行耕作，种植粟类作物，用石镰进行收割，用石磨盘、石磨棒加工粮食，他们还会种植枣树、核桃树等。这些闪烁着农耕文明之光的农耕用具，品种丰富，制作精致，演绎着多彩的农业发展史。在黄河流域这片广袤的土地上，裴李岗人所创造的文明在人类发展史上是极为重要的，给中国古代文明带来独特风采。

在距今 7000—5000 年的新石器时代中晚期，黄河流域出现了以仰韶文化为代表的规模宏大的农业文化。仰韶文化的农业生产水平有了显著的提高，突出标志之一是出现了面积达几万、十几万以至上百万平方米的大型村落遗址。主要作物仍为粟和黍，亦种麻，晚期有水稻，此外还发现了蔬菜种子的遗存。

农业工具除石斧、石铲、石锄外，木耒和骨铲等广泛应用，人们主要用石刀、陶刀收获作物，在谷物加工方面，石磨盘逐步被杵臼代替。农具是农耕文化的重要组成部分，体现了先民的劳动智慧。

继仰韶文化之后的是龙山文化。虽然龙山文化的村落规模小于仰韶文化，但是其农具有了明显的改进。农具品种更全，数量更多。

属于仰韶文化的石铲、石犁、石刀　　　　商代的石杵、石臼

马家窑文化、齐家文化主要经营以粟、黍为主的旱地农业。马家窑文化主要分布于黄河上游地区甘肃境内的洮河、大夏河流域和青海的湟水流域。这一带有大河冲积平原，河水冲刷形成的台地、丘陵岗地，地势开阔，土质肥沃，气候温暖，适合农业耕作，这里的居民过着比较稳定的生活。他们大量使用石制、骨制、陶制或木制的农业生产工具，还饲养家畜、制作彩陶，从事以农业开发为主的经济、文化活动。

齐家文化大约距今 4100—3600 年，黄河上游的甘肃、青海是齐家文化的发源地。关于黄河上游新石器时代末期的农业文化，在齐家文化中表现得异常浓厚。这个时期的居民以经营农业为主，此时的农业生产力水平比马家窑文化时期有了一定的提高，人们已普遍采用磨制工具，如石斧、石铲、石刀、石镰等，这些工具外形规整，制作十分精致。从齐家文化晚期遗址出土的猪、牛骨骼明显增多，说明家畜饲养有了进一步的发展，可以想象当时农业生产颇具规模，可以为家畜饲养提供充足的粮食。

三、不朽的古代农学

农学是中国古代科学伟大成就之一，历史上我国农业发展水平长期在世界上处于领先地位。我们的祖先在黄河流域这块美丽富饶的土地上辛勤劳动，不断地改善生存环境，他们改革生产工具，培育品种丰富的农作物，总结出了完整的农业生产理论和经验，创造了辉煌的农耕文化。

发达的农业促进了古代农学思想的产生，在先秦时期，我国就出现了农家学派和农书，如《尚书·禹贡》《礼记·月令》和《吕氏春秋》等都蕴含着丰富的农业知识，对后世产生了深远的影响。

《尚书·禹贡》是战国时人托名大禹写下的著作。书中依据自然地貌分天下为九州，并且按照九州的区域划分了土壤的等级，介绍了九州不同土壤适宜生长的相应物产。它虽不是专门的农学著作，但包含了关于土壤学和农业地理的丰富内容。

　　《礼记·月令》是生活在黄河流域的先祖们探索自然、观察实践的记录，强调生产活动要顺时而作，应时而动，及时劝农，适时积聚，指出一年中 12 个月应该如何安排农事，总结了许多与自然和谐相处的宝贵经验。

　　战国末年，秦国宰相吕不韦召集门客撰写"备天地万物古今之事"的巨著《吕氏春秋》，其中《上农》《任地》《辩土》《审时》4 篇是我国现存最早的农史文献，较为系统地总结了先秦时期黄河中下游地区的农业生产经验，对天、地、人关系作出科学概括，包含着丰富的辩证法思想，是传统农学的奠基之作，对后世影响很大。

　　《氾胜之书》和《四民月令》是汉代两部最重要的农书。氾胜之是西汉著名农学家，当时，黄河流域的农业生产力有了进一步的提升，因"耦犁"的发明和推广，铁犁牛耕在黄河流域获得了普及，农业得到空前发展。他所编著的《氾胜之书》总结了古代黄河中游地区劳动人民的农业生产经验，记载了耕作原则、作物栽培技术和种子选育等知识。《氾胜之书》是我国现存较早的农学著作，奠定了我国综合性农书的基础，在中国传统农学发展史上有里程碑意义。

　　东汉末期（2 世纪），著名政论家崔寔撰写的《四民月令》是最早的月令体裁的农书，书中将每个月分上中下三旬，把农业、手工业、商业等经营事项和家庭事宜，作详细合理的安排。"四民"指士、农、工、商，故书名为《四民月令》。这本书总结了当时丰富的农业生产经验，有较高的实用价值。尽管有关操作技术记述很简略，而且散佚不全，但它仍为当时的农业研究提供了重要线索。

　　秦汉之后，我国涌现出了许多杰出的农学家，比如北魏贾思勰、元代王祯、明代徐光启、清代杨屾等，他们在总结农业生产的经验、发展我国的农学和农业方面都作出过卓越的贡献。

　　北魏农学家贾思勰所著的《齐民要术》，是目前我国完整保存至今最早的一部农书，系统总结了黄河中下游地区丰富的农学知识和农业生产技术，在我国农学发展史上有着举足轻重的地位。书中蕴含着丰富的农学思想，将农业丰产、农民安居视为国家和谐稳定的基础，其"天、地、物、人"和谐统一思想、改进生产工具与生产技术思想、"农本"思想等对于当代农业的发展仍具有十分重要的现实意义。

元代王祯撰写的《王祯农书》是一部系统完整、内容丰富的综合性农业巨著。明代，黄河流域农业生产技术进一步发展，徐光启的《农政全书》最具成就，是一部集中国传统农学之大成的总结性著作。

清代杨屾的《知本提纲》是一部优秀的农业著作，提出"轻土宜深、重土宜浅"，根据黄河流域土质不同而采用不同的耕种方式，"有浅耕数寸者，有深耕尺余者，有甚深至二尺者"。

四、农耕文明是中华文明的根基

黄河流域这片古老而神奇的土地，隐藏着古老文明的密码，我们仿佛看到了先民从采集果实、捕鱼狩猎、茹毛饮血到刀耕火种、驯养禽畜、纺织作衣的景象和那充满黄土气息、辛勤劳作的人民。农耕文化的发展，凝聚着中国劳动人民的血汗和智慧。那份乡土情怀早已深深地流淌在无数中国人的血液中，根深蒂固，代代相传。

黄河孕育了人与自然和谐相处的生态观。我们的祖先在农业生产的实践活动中，总结出顺天时、量地利、取用有度、有机循环、多样平衡的实践智慧，认为人与自然是和谐共生的关系，而不是对立的关系，人们敬畏天地，从而衍生出了最朴素的生态观。

《经法·君正》："人之本在地，地之本在宜，宜之生在时，时之用在民，民之用在力，力之用在节。知地宜，须时而树。"我国古代农耕文化中有着很强的农时观念，讲究"四季各有其务，十二月各有其宜"，就是说一年四季要根据节气合理安排农业生产，不误农时，不违农时。"得时之和，适地之宜。"顺应天时，体现了古人对自然规律的重视。而且，我们的祖先很早就懂得了因地制宜和可持续发展的理念，这对于指导农业生产和天、地、物自然协调起到了重要作用。

早在几千年前，我国就已经形成了应时、取宜、守则、和谐的农业指导思想与先进的农业技术体系。农耕文明的和谐理念与生态智慧，正是中华民族绵延不绝的深层奥秘，深入挖掘、传承、发展农耕文明的智慧精华，具有十分深远的历史意义和现实意义。

农业文明打开了人类文明的大门，影响着数千年以来的社会、经济和文化发展。悠久厚重的农耕文化是我们的根，是中华文明的基础和重要内涵，是中华民族传统文化的底色。中华文明是人类历史上唯一没有中断的文明，作为中华文明的根基，农耕文化对中华民族坚忍不拔、顺应自然、因地制宜、和谐发展、勇于创新等优秀品质的养成起到了关键作用，也是中华文明在历经无数次灾难挫折后仍能绵延不断、蓬勃兴旺的重要原因。这种自强不息、百折不挠的民族精神，为中国发展和人类文明进步提供了强大精神动力。

黄河沿岸的农田

第二节 文字：述说文明的起源

如果说，世界上哪一个国家的文字能带给人们无限的遐想，能再现远古文明，那一定是中国的汉字。

黄河是中华民族的摇篮，夏商周时期的文明发展高峰也汇聚在这里，并且开创了中国文字记载的先河。作为中华文明标志之一的古汉字，在黄河流域孕育、成熟并被世代传承。

汉字，是世界上最古老的文字之一，是世界上唯一没有中断过的表意文字。纵然历经千年历史变迁，却始终一脉相承，并且不断演化，支撑、助推着中华文化的发展，展现出自身强大的生命力和生生不息的活力。

一、奇妙的文字密码

汉字，是中华民族独一无二的伟大创造，是中华文明的智慧结晶。汉字，也是解读中华文明奥秘的钥匙，深厚的文化内涵就藏于这横、竖、撇、点、折之中。

早期的"月"字就像一个弯弯的月牙，"山"字好似高耸连绵的山峰，"水"字如众水同流一般，"象"字就似有着长长鼻子和健壮身躯的大象，惟妙惟肖。

汉字的字形跟字义、字音之间有着一定的联系，字形之中蕴含着丰富的文化信息，是形、音、

甲骨文

金文

篆书

楷书

义相结合的文化生命体，展现着汉字的灵动之美。每一个汉字都有着自己独特的风韵，直观形象，生动多姿，使我们能够根据字形结构追溯本义。透过一个字，我们可以了解到丰富的文化信息，听到文字背后的那段故事，这是多么有趣的一件事。陈寅恪曾说过："每解读一个汉字，就是解读一部文明史。"汉字，作为中华文明的文化基因，承载着数千年的历史与文明，是传承和弘扬中华文化的主要载体，谱写了中华文明的不朽篇章。

二、溯汉字之源

关于汉字的起源众说纷纭，有结绳记事说、契刻说、伏羲八卦说、仓颉造字说、河图洛书说等。其中，影响最大的是仓颉造字说，这一传说在黄河流域广为流传。

如何用绳子记事？

这是一种原始记事的方法。

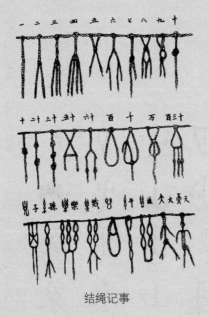

结绳记事

在远古时期，文字还没有产生，人们就用结绳的方式来记录事实，把绳子打结。绳子粗细不同，结有大有小，距离不同，人们根据事情的大小、规模、数量等系出不同的绳结。

《周易·系辞》记载："上古结绳而治，后世圣人易以书契，百官以治，万民以察。"《周易集解》："古者无文字，其有约誓之事，事大大其绳，事小小其绳，结之多少，随物众寡，各执以相考，亦足以相治也。"

"昔者仓颉作书，而天雨粟，鬼夜哭。"《淮南子·本经》曾这样形容文字被创造出来时的景象。许慎《说文解字·序》中说："黄帝之史仓颉，见鸟兽蹄迒之迹，知分理之可相别异也，初造书契。"传说仓颉是轩辕黄帝时期的史官，他天生睿德，龙颜四目。他从观察天象、山川、地貌、鸟兽足迹中悟出道理，创造了文字，被人们称为"万代文字之宗、千古士儒之师"。仓颉创造汉字的事迹在《荀子》《韩非子》《吕氏春秋》《说文解字》等历史文献中都有记载。

8000多年前的新石器时代，河南省鲁山县仓头境内人类活动已十分频繁，5000多年前已有一定规模的村落。这里仓颉文化遗迹遗存十分丰厚，传说仓颉死后，葬于鲁山仓头，黄帝赐名仓子头。仓颉冢位于现鲁山仓头乡，冢上有仓颉祠，大约已有1300年历史。河南省濮阳市南乐县地处黄河故道，坐落在这里的仓颉陵高大雄伟，陵墓以下有仰韶至龙山时期的古文化遗存，这里是历代贤哲文人朝拜的圣地，北宋名臣寇准称其为"三教之祖""万圣之宗"。在河南省开封市东北9.5千米、黄河大堤之外，刘庄村北侧有一座历史悠久的古墓，相传为仓颉墓。明《汴京遗迹志》载："仓颉墓在城北时和保。俗称仓王冢是也。"

在陕西省渭南市白水县城东北35千米处的史官乡，有一处仓颉庙，白水仓颉庙是我国仅存的纪念文字发明创造的庙宇，为全国重点文物保护单位，有文字可考的庙史已有1800多年。仓颉庙内历代碑石众多，其中，《仓颉庙碑》记载了东汉延禧五年（162年）时，仓颉庙已具相当规模。《仓圣鸟迹书碑》上刻着28个古怪的符号，相传这就是仓颉当年所造象形文字的本形。有着"绿色国宝，活着的文物"之美誉的40多棵古柏环绕于庙，为中国三大古庙宇古柏群之一。"清明祭黄帝，谷雨拜仓圣。"每年谷雨时节，当地都会举行大型活动，拜祭文化之祖。文字的创造在人类文明进程中有着划时代的意义，人们用这种方式表达着自己的感激与崇敬之情。

关于仓颉的纪念性遗址，除了河南，在黄河中游地区的陕西和黄河下游地区的山东也有，全国有据可查的仓颉庙（祠）、墓（陵）、造字台等遗址

40余处，实际数量可能还要更多。在历史上影响较大的庙、墓有8处，其中建于汉代的4处分别位于陕西白水以及河南开封、南乐、虞城，建于晋代的2处分别位于山东寿光、东阿，建于宋代的2处分别位于河南阳武、洛宁。

为什么这么多地方都有关于仓颉的遗址？仓颉其人是否真的存在？这些我们不得而知。但是文字的产生不是一蹴而就的，不可能由一个人创造出来，也许在远古时期确实有过仓颉这样的人物，但也不一定是他独自创造了文字，他很有可能是文字的整理者或传播者。其实，仓颉造字的故事无论是神话还是史实，都反映出人们对汉字文化的敬仰。如何秉承先贤的宝贵品质、热爱并传承我们的文字，弘扬中华民族的传统文化，这才是我们更应该思考的问题。

河南濮阳南乐县仓颉陵内的造字台

据考古发现，黄河中下游地区出土了丰富的古文字资料。在河南舞阳贾湖遗址中，一些契刻符号出现在龟甲、陶器等上面，距今约8000年，属于新石器时代，这些符号是迄今为止我们所知最早的文字雏形。此外，在河南仰韶文化、大汶口文化、龙山文化遗址中也都发现了刻画符号。

舞阳贾湖遗址契刻符号

　　1987年，考古人员在河南省舞阳县北22千米贾湖村东侧的贾湖遗址中发现了契刻符号，一共17例，龟甲上有9例，骨器上有3例，石器上有2例，陶器上有3例。这些符号所处的时代距今约8000年，比仰韶文化上的符号还要早1000多年，属于新石器时代前期。从符号的形状上看，结构由多笔组成，承载着契刻者的一定意图，引起了学术界关注。然而，由于这种符号太过于抽象，破解非常困难，至今还无法明晰这些符号的真正含义。有学者指出："贾湖刻符对汉字来源的关键性问题，提供了崭新的资料。"

　　在山西襄汾陶寺遗址出土的器物中，考古人员发现了一扁壶残件（距今4000余年）上的朱书"文"字，这是目前发现最早的较为成熟的汉字。这是一个令人振奋的发现，它的出现说明在当时，社会发展水平较高，为之后文字的产生奠定了坚实的基础，有着深刻的历史背景。

陶寺遗址出土朱书"文"字扁壶

三、甲骨文：汉字的文化基因

　　在汉字诞生之前，我们的祖先不断摸索、改进并完善，直到甲骨文的出土，我们才知道至少在3000多年前，我们的祖先已经告别了结绳记事、刻画符号的时代。

　　一片甲骨惊天下——19世纪末，历经千年历史的甲骨文被发现。"三千年而一泄其密"，甲骨学奠基者罗振玉这样评价甲骨文的横空出世。

　　清朝光绪年间，金石学家王懿荣是当时最高学府国子监祭酒，因患痢疾到药店买"龙骨"，意外发现了年代久远的兽骨。这些兽骨上面刻画着一些看似文字的图案。王懿荣有着非常丰富的知识储备，经过仔细观察，他认为这很可能是一种古老的文字，便大量收购有刻画符号的兽骨，揭开了被掩埋了 3000 多年的历史的面纱。甲骨文的发现震惊了世界，也让黄河流域上名不见经传的安阳小屯村闻名中外。

1936 年，在河南安阳小屯村的考古发掘中，考古学家们发现了一个储藏着大量甲骨的穴窖，共清理出甲骨 17096 片，出土数量为迄今考古发掘之最。殷墟出土的大批甲骨文，就像一封封来自远古时代的书信，让我们能够从文字视角去感受祖先的经历，了解博大精深的中华文明。

甲骨文是现代汉字的早期形式，也是目前已知的中国最早的成系统文字，又称契文、龟甲文字、殷墟文字。许慎《说文解字》称："仓颉之初作书，盖依类象形，故谓之文，其后形声相益，即谓之字。"他将造字方法归为六类，即"六书"：象形、指事、会意、形声、转注和假借。甲骨文已具备这六种功能，如"日""月""云""雨""水""火""马""羊"等字，正是商代人用双眼观察自然事物在文字上的体现。又如"男"字，由"田"和"力"两部分组成，"力"的字形像一种最原始的耕地农具，说明在"男"字出现之时，我国已经进入了农耕文明时期。

甲骨文的现世说明了至少在殷商时期，就已经形成了成熟且发达的文字体系，但这并不是文字的初创阶段，显然已经过漫长的发展演变。

甲骨文

　　黄河中下游地区是古文字资料的主要出土地。"盘庚迁殷"之后，商朝后期 200 多年的都城就在殷，这里出土的甲骨文最为丰富。迄今为止，共发掘出土 154600 余片，有 4500 多个单字，经考释而公认的约有 1700 字。

　　这些在商周时期刻在龟甲兽骨上的文字，载有祭祀、天文、地理、军事、狩猎、农业、气象等方面的内容，是我国目前发现的最早文献记录，这些文字为人们研究 3000 多年前的社会生活提供了宝贵的历史资料，带领人们找寻中华民族共同的文明记忆，追溯中华文明的根脉。

　　甲骨文是文明的符号和文化的标志，这一块块代表中华文明的"化石"，不仅记载了历史，还传承了祖先们的智慧和创新精神。2017 年，甲骨文入选《世界记忆名录》，标志着世界对甲骨文重要文化价值及历史意义的认可。

四、汉字嬗变

　　从成熟的甲骨文开始算起，汉字发展至今已有 3000 多年历史，发展演变出篆、隶、草、楷、行多种书体，成为我们今天使用的规范汉字。

　　甲骨文随着商朝的灭亡而深埋地下，而刻在青铜器上的铭文却流传下来，其影响一直延续到后世。金文是铸刻在商周青铜器上的铭文，大约产生于公元前 14 世纪。在古代，青铜就叫作金，青铜器以鼎、钟为代表，所以青铜器上的铭文也叫作"金文""钟鼎文"。金文的线条更加圆润、粗壮、挺秀。

　　秦始皇统一六国，建立起统一的中央集权国家，推行"车同轨，书同文"，以小篆为正体字，统一了文字。小篆的字体匀圆齐整，象形意味减弱。

　　隶书由篆书简化演变而成，便于书写，自秦朝创始，通行于汉代，有秦隶和汉隶之分。隶书的线条由小篆的匀圆变为直笔或方笔，象形意味已经基本消失，书写趋于简易。汉字的横、竖、撇、点、折等笔画已经基本形成。至此，古文字基本止绝。隶书是古今汉字的分水岭。

　　草书始于汉初，笔画连带、气势连贯、纵任奔逸，有"章草"和"今草"之分。

　　楷书由隶书逐渐演变而来，始于汉末，成熟于魏晋时期，到南北朝成为主导的字体。楷书形体方正，笔画平直，可作楷模。

　　行书是典型的手写体，既不像草书那样难以辨认，又比隶书、楷书更快捷，实用性和艺术性得到了完美的结合。

　　万变不离其宗，无论书体如何变化，汉字构形的基本原理数千年来没有改变，汉字的嬗变轨迹清晰可见，每一种字体都构成了汉字历史上的风景，记录下了历朝历代诗词经典、诉说着中华几千年的文明，每一笔中都闪烁着中华文化的灵魂，在时光中流转淬炼。正是因为汉字的连续发展，才使得中华文明的苦难和辉煌得以书写，使中华文化基因得以传承，让中华民族有足够的底蕴和自信屹立于世界民族之林。

五、以字为媒：承载历史　开创未来

　　世界历史上曾产生四大古文字——古埃及象形文字、美洲玛雅文字、苏美尔楔形文字和中国汉字。前三种均已消亡，唯有以殷墟甲骨文为代表的中国古文字体系历经千年仍然生机勃发、魅力无限。一脉相承、绵延发展的汉字使中华文明的传承没有中断；而中华文明的稳定性、连续性，又使汉字更具生命力。汉字不仅是符号、标识，还是中华儿女无法割舍的纽带，将中华民族紧密地联结在一起，使中华文明在此基础上开花结果，枝繁叶茂，促进了中华民族的团结与发展。

　　汉字是中国的，也是世界的，是人类的共同财富。几千年中，汉字以其独特的魅力，具有广泛的影响力，不断向外传播，形成了汉字文化圈，对周边国家文字的形成产生了重大影响。汉字在世界文明进程中留下了深深的印记，向全世界展示了中华民族自强自立的精神，对世界文明作出了不可磨灭的贡献。

汉字对周边国家产生的影响

　　汉字，不仅是中华文化的核心，也是东方文明的象征。历史上，随着文化的传播，汉字在日本、朝鲜和越南得以广泛使用，在朝廷文书及外交往来等方面发挥着重要作用。时至今日，这些国家许多保存至今的历史典籍是用汉字书写的。一些国家还借鉴汉字，创造了自己的文字，如日本的假名，朝鲜的吏读、乡札、口诀和谚文，越南的喃字。汉字，以其强大的辐射力影响着周边国家的文化发展和社会进步，在文明传播分享中起着重要作用。

中国文字博物馆

第三节　黄河科技文明：中华文明的璀璨明珠

古老的黄河以其亘古不竭之流哺育了我们的民族，浇灌了中华五千年文明。那一件件制作精良的农具，一个个形象生动的字符，都象征着文明的起源，诠释着激流勇进、不断创新的精神。在古代科技文明形成过程中，黄河流域发达的农业极大地促进了科学技术的发展，带动了与之相关的农田水利、天文历法、冶炼金属、烧制陶瓷、建筑纺织、数学地理等科学技术的进步，黄河流域的科学技术在相当长的时期内一直处于领先地位。以四大发明为代表的中国古代先进科技文化，由黄河流域传播、辐射至世界，产生了深远的影响。

一、黄河治理，揭开了中国水利科技史的篇章

在很长一段时期内，黄河流经的中下游地区一直是我国的政治、经济、文化中心。黄河有着善淤、善决、善徙的特点，黄河每一次泛滥都会给两岸百姓造成严重影响甚至带来灾难。因此，一部治黄史同时也是中华儿女自强不息的奋斗史。黄河流域的先民们在长期与洪水的斗争中，不但形成了百折不挠、坚忍不拔的民族精神，还积累了丰富的水利科技知识，谱写了中国水利科技史上辉煌的一页。

水利是农业的命脉，我国最早的水利灌溉事业是从黄河流域发展起来的。自从黄河流域进入农业社会开始，农田水利灌溉事业就随之发展起来。春秋战国时期，黄河流域出现了大型的水利工程。晋国世卿智伯引汾、晋二水灌晋阳，修筑智伯渠。魏国西门豹"引漳水溉邺"，开凿了 12 条沟渠。秦国修筑郑国渠，极大地促进了农业的发展，并助力秦国完成统一大业。先秦时

期，黄河流域先民们在治河中积累了不少经验，这些经验成为后世水利事业的宝贵财富，也为我国传统水利科学技术的发展奠定了坚实的基础。

在古代，"治国必先治水"，治水是治国的一把钥匙，对国家的产生和文明进步有着重大影响，所以历代善治国者均以治水为重。据文献记载，早在西周时期，就设有专门主管水利工程的官员和机构。春秋战国时期，黄河下游河道的堤防已经具有一定的规模。两汉时期，科技水平已有了较大进步，水利方面，出现了大规模的漕运、农田水利灌溉，堤防建设也有了进一步发展。隋朝大运河的开凿，为中国古代水利史写下了新篇章。初唐时期，黄河流域的漕运和农田水利事业蓬勃发展，但黄河水患依旧产生深重的灾难。北宋时期，黄河灾害大大超越前代，决溢频繁，从皇帝到臣民，都提出过很多治河意见。堤、埽修筑技术有了新的发展。这一时期的治河工作取得了宝贵的成绩。金元时期的黄河水患十分严重，贾鲁治河和郭守敬在水利工程上的伟大贡献，推动了治黄事业的进一步发展。明清时期，对黄河的治理尤为重视，形成了丰富的治河理论，治河事业又往前迈了一大步，但始终未能解决黄河水患灾害。

历代在治理黄河斗争中，积累了丰富的水利知识。如《史记·河渠书》《汉书·沟洫志》《水经·河水注》《河防通议》《治河图略》《至正河防记》《河防一览》《治河方略》等内容丰富，记录着先贤们的治水智慧。

二、日月交替中对天空的思考

从古至今，人们对天空都有着无限的向往。天文学在黄河流域的萌芽最早可以追溯到远古时代。

在我国，早在仰韶文化时期就发现太阳、月亮崇拜的标志物，这在彩陶花纹中有所体现。如庙底沟遗址彩陶上的鸟纹和蟾蜍纹很可能是当时天体崇拜的一种方式，象征着日月，蟾蜍在古代有着特别的象征意义，为神话中的月神。天体崇拜的产生与农耕文化有着密切联系。

郑州大河村遗址出土了一些绘有天象图案的彩陶片。先民们把日月星辰绘成了美丽的星象图案，陶片上有的绘有太阳纹，有的绘有月亮纹，还有的绘有日晕纹、星座纹等。太阳纹陶片上以圆圈、圆点和直线勾勒出光芒四射的太阳形象。根据残陶片上每个太阳纹之间的夹角进行推算，原器物的肩部应该绘有 12 个太阳，而这种彩陶片在大河村遗址中并不唯一，这或许是人们将一年分为 12 个月的最初表达。

大河村遗址出土的太阳纹彩陶片和彗星纹彩陶片

绘有月亮纹的陶片出土较多，月亮纹是两个月牙相对并在中间绘一圆点纹。这可能是大河村遗址的先民们对月亮经过长期观察，发现了月亮在其转动的周期内出现不同月相（即以后人们认识到的新月和残月的形状）的写照。

濮阳西水坡仰韶遗址出土的三组蚌砌龙虎图案，震惊了海内外，引起国内学术界的广泛关注。有专家认为，蚌塑图与中国天文学的起源有密切关系。

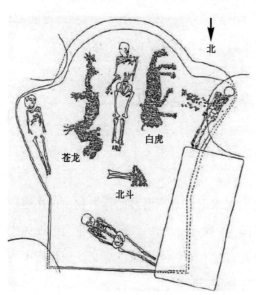

　　中国古代把二十八星宿分为四象（四宫），分别为东宫苍龙，西宫白虎，南宫朱雀，北宫玄武，而把北天区域命名为中宫，北斗即位于中宫内。西水坡遗址 45 号墓蚌壳图案就是一幅由二象与北斗组成的天文图。

　　"乃命羲和，钦若昊天，历象日月星辰，敬授人时。"《尚书·尧典》记载，上古时期，尧帝设立了专职的天文官，令羲氏、和氏官员恭敬地遵从上天之意，按照日月星辰的运行规律制定历法，使百姓能依农时劳作收获。季节对农业生产有着重要意义，因此古人观测天象十分精勤，以期总结出自然规律来指导人们的生产和生活。天文学的产生与农业生产技术的发展密不可分。

　　位于黄河流域的山西陶寺遗址，有着中国最为古老的观象台，至今已有4000 多年的历史。它由 13 根夯土柱列组成，从观测点通过土柱狭缝观测塔尔山日出方位，确定季节、节气，安排农耕。古观象台遗址印证了《尚书·尧典》的历史背景与社会现实，体现了当时世界上最先进的天文观测技术。陶寺人据此制定的历法，是当时世界已知最缜密的太阳历法，代表着当时天文学发展的最高水平，也是二十四节气的直接源头。

陶寺古观象台遗址复原

　　以二十四节气为主的天文历法体系起源于黄河流域，早在春秋时期，人们根据太阳运行的周期，就定出仲春、仲夏、仲秋和仲冬四个节气。人们长期进行天文观测，总结出黄河流域的气候、物候等自然现象的变化，直到秦汉时期，二十四个节气陆续确立，用以指导农事活动。公元前 104 年，由邓平等制定的《太初历》正式把二十四节气定入历法，明确了二十四节气的天文历法地位，一直沿用至今。从此以后，历代都十分重视二十四节气，农业生产活动大都遵循这一原则，选择农作物最佳的播种时间。二十四节气体现了我们的祖先尊重自然、适应自然、与自然和谐相处的智慧，是世界文化遗产。

夏代，我国已有了历法。商周时期，天文观测方面已取得了瞩目的成绩。甲骨文中记载了5次日食现象，甲骨文"日"字，其圆圈内的一点，代表的是太阳黑子。春秋战国时期，我国已经建立起二十八宿体系。秦汉时期，政治中心一直在黄河流域的中下游地区，天象观测上有了新星和太阳黑子的准确记录，在天文仪器研制、历法修订及宇宙构造理念的创建方面都取得了更大的成就。直到元代郭守敬等杰出的科学家成功制定了《授时历》，把我国传统历法发展到了巅峰。

法国思想家伏尔泰评价中国古代的天文学成就时说："全世界各民族中，唯有他们的史籍，持续不断地记录下日蚀和月球的交会，我们的天文科学家在验证他们的计算后惊奇地发现，几乎所有的记录都真实可信。"

> **七月流火是指暑热吗？**
>
> 七月流火，语出《诗经·豳风·七月》："七月流火，九月授衣。"这里的"火"是一颗星的名字，即"大火星"，中国古人称之为"心宿二"。"流"的意思是"西沉"。每年农历六月，大火星出现于正南方，位置最高；七月天气转凉的时节，大火星就会逐渐偏西下沉。所以，"七月流火"是指天气到了日渐转凉的时节。

三、陶瓷、青铜中的黄河故事

1. 陶瓷文化

黄河流域有着灿烂的陶瓷文化，古代陶器也称为黄河古陶，曾经兴盛一时。在黄河流域的裴李岗文化、仰韶文化、大汶口文化、龙山文化等古文化遗址中，发现了我国非常古老的制作陶器的作坊，生产有美奂绝伦的彩陶器、红陶器、黑陶器等。从秦汉釉陶到唐宋三彩，绚丽多彩的陶器来自黄土的馈赠。

彩陶是中国史前陶器中最为绚丽多彩的艺术品，黄河流域是彩陶发现最为集中也是最具特色的地区。属于仰韶文化的白衣彩陶钵、马家窑文化的双耳彩陶罐、大汶口文化的彩陶壶等，展现了黄河文化的雄浑强劲与源远流长，向后世人们传递着先民们赞美生命、追求美感的炽热情感。

黄河流域下游龙山文化的黑陶烧制技艺，达到当时制陶的高峰。龙山黑陶的代表蛋壳黑陶高柄杯，造型别致秀美，制作精巧，质感细腻温润，最令人惊叹的是，其杯身最薄处不足 0.3 毫米，可谓古代陶艺中的精华。

瓷器的发明是中华民族对世界文明作出的卓越贡献，中国的历史在某种程度上也是一部"瓷器史"，中国的英文名"China"也有"瓷器"的意思，黄河流域也有着光辉灿烂的陶瓷文化。宋代时期，黄河流域已经形成定窑、磁州窑、耀州窑、钧窑四大瓷系，为我国陶瓷工艺的发展作出了贡献。

彩绘鹳鱼石斧纹陶缸

蛋壳黑陶高柄杯

2. 瑰丽的青铜文明

黄河流域烧制陶器的经验，为青铜的冶铸提供了必要的高温耐火材料和造型技术条件。青铜器被认为是文明起源的最重要的物质文化标志之一，中国考古学家夏鼐先生在《中国文明的起源》中提出，青铜器、文字、城堡是文明产生的三个标志和要素。

黄河流域的青铜文化历史悠久，工艺精湛，冶铸技术处于领先水平。在夏代，人们祭拜祖先时用来存放肉类、谷物和酒等祭品的礼器都是青铜制的。商周时，黄河流域的青铜文化发展至鼎盛阶段，形成了以青铜礼器为核心的等级秩序，青铜文化开始辐射到更广阔的地区。

青铜器反映了我国古代高度发达的文明。河南安阳殷墟商代晚期墓出土的后母戊鼎（也称"司母戊鼎"），是目前已发现的最大的商代青铜器，在世界上也是仅有的。鼎身上精美的图案栩栩如生，彰显了当时成熟的冶铸技术和超凡的艺术成就。

陕西宝鸡素有"青铜器之乡"的美誉，这里出土了大量有代表性的重要青铜器。其中，最引人注目的要数国家一级文物——何尊。这件青铜器并不寻常，文物专家们在何尊的内部发现了122字的铭文，其中出现了"宅兹中国"四个字，这是"中国"最早的实物记载，备受瞩目。何尊铭文对研究西周初年历史提供了珍贵资料，史料价值极高，向世界展示了中华民族悠久的历史，被称为"镇国之宝"。

后母戊鼎

西周虢季子白盘

陕西宝鸡出土的虢季子白盘是西周三大青铜器国宝之一，现收藏于中国国家博物馆。盘内底部有铭文111字，讲述的是距今2800多年前，虢国的季子白奉命出战，大获全胜的历史。为了表彰其战功，周宣王为其举行了隆重的庆典，并赐弓马之物。其铭文语言洗练，字体端庄，不仅是金文中的书家法本，还是研究西周历史的重要史料。

河南新郑出土的莲鹤方壶是春

秋时期著名青铜器。其造型宏伟气派，装饰典雅华美，制作工艺精湛。顶端盛开莲瓣中的仙鹤展翅欲飞，显得清新隽永、生动活泼，静中有动，寓动于静。

同样出土于陕西宝鸡的稀世瑰宝毛公鼎，是西周晚期青铜器，因作器者毛公而得名，其造型浑厚凝重，饰纹简洁古雅朴素，是台北"故宫博物院"镇馆之宝。毛公鼎内壁铸有 497 字的铭文，为现存铭文最长的青铜器。

黄河流域出土的青铜器数量众多、内容丰富、历史悠久，其精湛的工艺令人叹为观止，是世界文化宝库中的精华。

莲鹤方壶

四、传统建筑技术

黄河流域古代传统建筑凝结着人类的智慧与文明，每一块瓦、每一块砖都是沧桑历史的见证。我们的祖先从洞穴野居到学会建造简陋的房屋，又逐渐发展成为独具特色的木构建筑体系，创造了灿烂的古建筑文化。在黄河流域起源、发展并形成的土木结构建筑是世界两大建筑体系之一。

我国建筑夯筑技术就起源于黄河流域。新石器时代龙山文化已经出现夯筑技术，人们能营建城墙，有的还用土坯筑墙，墙外有护坡、散水等设施。郑州的西山古城（仰韶文化）是我国现存最早的古城之一。其建筑技术在当时十分先进，城墙建筑采用当时先进的分块版筑法，分层逐块逐段夯筑。其建筑方法、形制结构对古代城址的建筑产生了深远的影响，开启了后代大规模城垣建筑规制的先河。夯筑技术是在黄河流域这一特定的自然条件下发展起来的，对我国建筑技术有着重大意义，后世许多规模宏大的宫室和陵墓都是用夯筑技术建造的。

黄河流域的先民们建立起来的许多村落、城堡和宫殿，成为我国古代建筑的起点。在庙底沟遗址，考古专家发现了特大型房址，房址面积远大于同时期普通房址，且经过非常细致和复杂的建筑工序。这种大型房屋在聚落中起着重要的作用，应该是早期宫殿建筑的萌芽，其浩大的工程、精湛娴熟的建造技术都反映了庙底沟文化在这一时期的繁荣，也是社会组织形式转变的一个重要标志。①

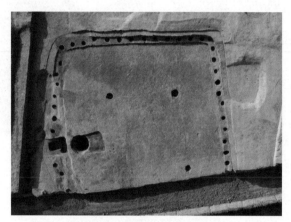

白水下河遗址庙底沟文化大型房址

近年来考古工作者在河南巩义双槐树遗址发现了距今 5300 年左右的河洛古国，经过持续的考古发掘，新发现了 4300 平方米的夯土建筑群基址、大型院落布局，高台上建筑基址密布，已初具中国早期宫室建筑的特征，堪称中国最早的"宫殿"。

"中国宫室制度在双槐树遗址形成了初步的轮廓，这是黄河文化作为中华文化的主根、主脉、主魂的一个实证，也是中华 5000 年文明的一个实证。"中国考古学会理事长王巍说。

---

①杨利平：《庙底沟文化的崛起》，《大众考古》2018 年第 10 期。

五、古代纺织技术

我国素有"丝绸之国"的美誉。经考古发现，在远古时期，黄河流域的纺织技术已经发展起来。古代先民的衣着服饰主要原料是丝、麻和葛。黄河流域有着悠久的桑麻种植史，以葛、麻纤维为原料的中国古代纺织品，在原始社会时已经出现。在三门峡庙底沟和陕西华县泉护村的仰韶文化遗址中，发现了布痕，每平方厘米有经纬线各 10 根。西安半坡仰韶文化遗址发现了 100 余件带有编织物印痕的陶器。随着原始纺织技术的出现，印染技术也随之产生。《夏小正》就记载了夏朝从蓝草中提出靛蓝素，用来染色。《荀子·劝学》中记载："青，取之于蓝而青于蓝。"这里提到的"蓝"，就是指的蓼蓝，可以用来作为染料。商代的丝织技术进一步提高，出现了提花技术。传统的纺织技术成就，也是黄河文明的重要组成部分。

养蚕、植桑在我国有着悠久的历史，我国的蚕桑业最初主要分布在黄河流域一带。关于丝绸的起源，我国史籍中有不少神话传说，据《通鉴纲目》记载，黄帝元妃嫘祖"始教民育蚕，治丝茧以供衣服，而天下无皴瘃之患，后世祀为先蚕"。双槐树遗址最为著名的出土物之一应该就是一枚用野猪獠牙雕刻而成的蚕。这枚长 6.4 厘米，宽不足 1 厘米，厚 0.1 厘米的牙雕蚕，是一条正在吐丝的家蚕形象，是中国目前发现的时代最早的蚕雕艺术品。春秋时期，人们在自己宅旁遍植桑树、梓树，所以古人把家乡也称为"桑梓"。隋唐以前，黄河流域的蚕桑业一直在国内处于领先地位，创造了享誉世界的丝绸文化，并广泛传播。

牙雕蚕

六、数学、地理学的发展

在古人治理黄河的同时，数学及地理学等科学技术得到了有力的发展。据《史记》记载，大禹在治水时用到了测量工具——"左准绳，右规矩"。古代的水利工程建设需要以数学为基础，我国古代的几何学就是在这些实地测量经验的基础上发展起来的。地图学的发展在我国同样源远流长，相传，大禹铸九鼎，鼎上显示了不同地区的山川、草木和禽兽。

商朝时期，数学有了较大的进步。殷墟出土的甲骨文卜辞中有很多记数的文字，其中有十进制记数法，出现最大的数字为三万。此时期的地理知识也更为丰富，卜辞中出现了"东土""东鄙""西土""西鄙""北土""南土"等。

西周时期，数学为"六艺"之一，成为一门教育必修课程，据《周礼》记载，西周有"司会"一职对财务收支活动进行"月计岁会"，在军队中叫"法算"。另外，还有世代相传掌管天文历法和数学知识的人员——畴人。这一时期的地理知识积累更加丰富。

春秋战国时期，人们已经进一步掌握了完备的十进制记数法和算畴法。十进制记数法是我国古代重要的科学发明，英国科学家李约瑟曾说："如果没有这种十进位制，就几乎不可能出现我们现在这个统一化的世界了。"战国时期的百家争鸣也促进了数学的发展，当时人们已会运用加、减、乘、除运算法，并且出现了分数的计算。《墨经》中提到了几何学的点、线、面、方、圆乃至极限和变数的概念。

《山海经》是一部充满着神奇色彩的著作，不但记载了我国古代的神话传说，还是一部地理百科全书，还有以《禹贡》《管子·地员》等为代表的地理学著作，对后世中国古代地理学的发展，以及近现代历史地理学的建立，都具有深远的影响。

我国古代的数学体系形成于黄河流域，在这里诞生了一批千古流传的著作，例如《周髀算经》《九章算术》等。《周髀算经》从数学角度讨论"盖天说"（天圆地方）宇宙模型，体现了古代天文学与数学的密切联系，并应用分数运算、勾股定理解决天文问题。《周髀算经》是我国古代数学史上的重要成就，历代数学家将其视为经典。成书于 1 世纪左右的《九章算术》是我国古代最重要的数学著作之一，内容十分丰富，系统总结了战国、秦、汉时期的数学成就。全书分为九章，包含丰富的算术、代数和几何知识，共 246 题。《九章算术》的问世标志着中国古代数学体系的形成。

七、四大发明：从这里走向世界

在黄河流域，我们的祖先们不断推陈出新，发明创造出以四大发明为代表的一批科技成果，形成了黄河流域科技文明的高峰。从历史的角度考察，黄河流域的地缘政治及政治背景为四大发明的发展创造了条件，黄河流域科技文明的进步为四大发明的诞生提供了科技基础。

四大发明是谁提出的？

提起中国的四大发明，大家耳熟能详，那就是造纸术、指南针、火药与印刷术。但是四大发明这一说法最初并不是中国的学者提出来的。16 世纪 50 年代，来自意大利的数学家杰罗姆·卡丹提出中国对世界具有影响的"三大发明"是司南（指南针）、印刷术和火药，并赞美它们是"整个古代没有能与之相匹敌的发明"。17 世纪 20 年代，英国哲学家弗兰西斯·培根曾经这样评价："（印刷术、火药和指南针）这三种发明已经改变了世界的面貌。第一种在文学上，第二种在战争上，第三种在航海上。由此又引起了无数的变化。这种变化如此之大，以至于没有一个帝国，没有一个宗教教派，没有一个赫赫有名的人物，能比这种发明在人类的事业中产生更大的力量和影响。"到了 19 世纪 60 年代，马克思和恩格斯更是将这些发明的意义作了进一步诠释，马克思在《机器、自然力和科学的运用》中这样评论："火药、指南针、印刷术——这是预告资产阶级社会到来的三大发明。火药把骑士阶层炸得粉碎，指南针打开了世界市场并建立了殖民地，而印刷术则变成新教的工具，总的来说变成科学复兴的手段，变成对精神发展创造必要前提的最强大的杠杆。"

到中国进行传教的汉学家艾约瑟，最先将造纸术列为与前三者同样伟大的发明，成为四大发明的最初的提倡者。四大发明之说被提出之后，立刻引起了西方学术界的关注，英国著名汉学家李约瑟博士在其著作《中国科学技术史》中完整地提出了中国古代四大发明，该著作引用了大量翔实的资料，来证明中国的文明在世界科学技术史当中的重要作用。

1. 造纸术：书写载体的伟大变革

文字的产生，承载着人类的记忆，积淀着久远的岁月印痕。有形的文字记录了无数古人的声音，也留给了后人无尽的怀念。从龟甲和兽骨，到青铜器，再到树皮和兽皮，文字书写的载体一直在不断发展和革新。

到了汉朝，用于书写的材料主要有竹简、木牍、丝帛。1957 年，在陕西省西安市灞桥出土了古纸，这座西汉古墓中，一枚青铜镜上，垫衬着几层古纸，专家们给它定名为"灞桥纸"。经化验分析，"灞桥纸"的主要原料是麻，其质地粗糙，工艺也有待改善。

书写材料本身的局限性限制了文明的传播速度和范围，直到东汉时期"蔡侯纸"的产生，无疑是在人们黑暗摸索中迸发的一道亮丽光芒。蔡伦是主管宫廷手工作坊的宦官，他总结前人的经验，并在造纸术的工艺流程上进行大胆的试验与革新，糅合树皮、旧渔网和竹子等物，发明了植物纤维纸。

这种纸又轻又薄，原料容易找到，又很便宜，可以大量生产，新的造纸术很快传遍各地。纸张逐渐取代了竹简、木牍和丝帛，并一直沿用了下来。

为纪念蔡伦的功绩，后人把这种纸叫作"蔡侯纸"。

简牍小故事

简牍以竹、木制成，制作过程费时费力。例如，制作竹简首先要将竹子截成竹筒，再劈成狭长的小片，去除竹节后，刮削打磨表面，为防止腐朽生虫，还需用火烤去除简中水分，然后将胶液涂在表面，以免书写时晕墨，最后再将单片的竹简编连成册。翻阅、搬运、储藏简牍都极为不便。据说秦始皇每天批阅的用简牍写的奏折重达一石（60千克）。汉武帝即位初年，征召天下贤良方正和有文学才能的人，各地士人、儒生纷纷上书。东方朔也给汉武帝写了自荐信，用了3000多根竹简，这些竹简需要两个人才能扛起。

造纸术是中国古代劳动人民长期经验的积累和智慧的结晶。造纸术的出现使纸张大规模生产成为可能，人类彻底告别了口耳相传、结绳记事、甲骨刻写、青铜铸写、竹简墨写、泥版画写的历史。它的流传引起书写载体的一场伟大革命，使得文化易于普及传播，文献得以流传，书画等艺术得以发展，使用以芦苇、稻草、竹、木等为原料制成的纸张大大降低了书籍制作、搬运和管理的难度，使知识传播的载体变得简便，更容易实现知识的积累。而随着知识的积累，人类得以由蒙昧走向文明，科技文化才得以蓬勃发展，从而推动整个社会迅速发展和进步。

我国在造纸的技术、设备、加工等方面形成了一套完整的工艺体系。4世纪时，中国的造纸术传入朝鲜半岛。7世纪时，造纸术传到日本，其后又通过阿拉伯传到欧洲，从而结束了欧洲羊皮纸的时代。17世纪，欧洲许多国家都有了自己的造纸业。到了19世纪，中国的造纸术已在世界广泛传播。即使是现代的机器造纸，也从我国古代造纸术中汲取了大量经验。

纸张无言，但它承载着文明，记录着过往，见证着中华文明的崛起。造纸术深刻影响着人类文明的进程，推动了整个世界的文化发展。

2. 指南针：地理大发现的前导

指南针是中华民族对世界作出的另一项重大贡献。指南针最早是由谁发明的呢？至今还没有定论。传说在4000多年前，黄帝与蚩尤大战，蚩尤会兴风作雾，黄帝最终依靠指南车在迷雾中辨别方向，战胜了蚩尤。从此，黄帝的氏族在黄河流域定居了下来。后世许多朝代都有关于指南车的记载，它的发明显示出古人高超的智慧。

《鬼谷子·谋篇》中有："郑人之取玉也，必载司南之车，为其不惑也。"司南是指南针的雏形。春秋战国时期的《管子·地数》中记载，"上有慈石者，其下有铜金"，可见当时人们在长期的生产实践中已经发现了磁石的特性。宋代，我国的科技水平到达了一个高峰，人们创造出了一种新的指南工具——指南鱼。指南鱼曾在军事上起重要作用，古时行军作战为了防止迷路，会用它辨别方向。

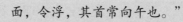

指南鱼长什么样？

北宋初年曾公亮所著的《武经总要前集》对指南鱼有着详细的描述："用薄铁叶剪裁，长二寸，阔五分，首尾锐如鱼形，置炭火中烧之，候通赤，以铁钤钤鱼首出火，以尾正对子位，蘸水盆中，没尾数分则止，以密器收之。用时，置水碗于无风处平放，鱼在水面，令浮，其首常向午也。"

正面

剖面

这是一种人工传磁的方法，把薄铁片剪成鱼形，鱼的肚皮部分凹下去，使鱼像船一样能浮在水面上。通过加热促进铁片内部分子运动，沿子午线方向使铁分子顺着地球磁场方向规则排列，以达到磁化目的。浸入冷水中急速冷却使这种排列固定下来。鱼尾对着北极略微下倾，是为了更大程度地磁化。这种方法制成的指南鱼是一个很大的进步，说明早在900多年前，我国人民就已经掌握了丰富的磁铁知识，这比欧洲早了400多年。

《武经总要前集》记载的这种指南鱼使用起来并不方便，需要借助于水，这种磁化方法获得的磁性较弱，而且铁鱼较重，所以后人在此基础上制造出了更具有实用性的指南针。

11世纪，北宋的科学家、政治家沈括在《梦溪笔谈》中指出："方家以磁石磨针锋，则能指南。"人们发现把钢针在天然磁石上摩擦后，便有了磁性，且磁性较为稳定，这一重大发现为制造更先进的指南针提供了条件。沈括通过四种试验，即水浮法、缕悬法、指甲法和碗唇法，最终制成了指南针。同时，沈括还发现指南针所指的方向并非正南，而是稍微偏东一些，这是地磁偏角。后来，人们将指南针与二十四向方位盘结合起来，制作成罗盘。

指南针的发明，在生活、生产、军事，尤其是航海方面起到了重要的作用。大约在12世纪，指南针经阿拉伯商人传入欧洲，哥伦布、麦哲伦等探险家使用指南针进行远航。新航线、新大陆不断被发现，这大大促进了世界航海事业的发展，加速了世界经济发展的进程。指南针的发明，对人类的科学技术和文明的发展都起到了深远的影响。

3. 火药：热兵器时代的开启

火药的来历，要从我国古代的炼丹术说起。秦汉时，就有方士炼丹尝试寻找长生不老的丹药，长期的炼丹实验导致后来火药的发明。最晚在9世纪唐中期时，炼丹家就已经发现，将硫黄、硝、炭等物质混合在一起容易发生爆燃，引起火灾。到唐末宋初，火药被引入军事，在军事科学技术方面引发了重大变革，大显神威。

恩格斯在《德国农民战争》中明确指出："一系列的发明都各有或多或少的重要意义，其中具有光辉的历史意义的就是火药。现在已经毫无疑义地证实了，火药是从中国经过印度传给阿拉伯人，又由阿拉伯人经西班牙传入欧洲。"火药的发明推进了历史发展的进程，为世界带来了巨大的变化。

4. 印刷术：文化传播的革命

被称为"文明之母"的印刷术推动了科学文化的传播。黄河流域最早具备了印刷术产生的必要物质条件，如纸张、笔墨、刻印技术等。北宋的沈括是第一位描述活字印刷过程的学者，他在《梦溪笔谈》中指出此发明出自名为毕昇的工匠，这项发明比欧洲早了4个多世纪。

古老的印刷术

8世纪中期，我国的印刷术先后传入朝鲜、日本、越南等邻近国家。12世纪左右，传入埃及、波斯，后传入欧洲。

印刷术的发明与传播，结束了只有上层社会才可以读书的时代，并成为世界科学复兴的手段，促进了世界文化交流和科学技术的发展。

一个文明的生命力在于创新，黄河流域古代科技文明犹如璀璨的明珠一样熠熠生辉，在中华历史文明传承创新中具有重要的地位，体现了华夏民族革故鼎新的创新精神，是中国古代文明的象征。

以黄河流域为中心的古代传统科学技术经由各种途径传至其他国家和地区，对于促进各国人民之间的文化交流与贸易往来，推动知识的迅速传播与积累，促进世界的文明和进步都产生了极其深远的影响，是中国人民对世界科学技术发展作出的巨大贡献。

第三章

黄河岸边的百家争鸣

2000 年前的中国正值春秋战国时期，诸子蜂起、百家争鸣，达到思想的大繁荣。正如世界上每一种文明都有其独特的智慧和辉煌的时代，春秋战国时期的诸子百家将思想文化的发展推上一个高峰。

这一时期涌现出 100 多种学派，并有其代表人物。他们著书立说，推行政治主张；广纳门徒，传播学术观点；百家争鸣，深化治世哲学。这些思想精髓，对后世产生了深远影响，形成了特有的价值体系，成为中国人的文化基因。

先秦诸子的活动范围大都分布于黄河流域各省，其中尤以河南、山东为多。这与黄河中下游地区的富庶密切相关。黄河水滋养了沿岸生灵，更孕育了民族智慧。

第一节 道法自然的道家学派

2000多年前，中原地区气候温暖适宜，物产多样，是当时极为富饶的地方。这里地势平坦，河流纵横，交通便利，人才荟萃。在春秋以后，周王朝日渐没落，诸侯国相继兴起，各国之间混战不休，道家思想就是在这一历史背景下产生和发展的。

道家是"道德家"的简称，老子和庄子是道家学说的主要代表人物。道家思想对中国哲学发展具有深刻影响。

一、老子：骑牛出关的智者

提起老子，人们脑海中总会勾勒出这样的形象——他眉须氍氍而垂下，目光犀利而坚定，仙风道骨，是长寿的长者，更是睿智的智者。相传，老子一出生就满头白发，而且会说话。这当然不足为信，这些传说只是为了表明老子很有智慧。

关于老子的史料非常有限，《史记·老子韩非列传》里仅有几百字的记述。根据《史记》，我们可知"老子者，楚苦县厉乡曲仁里人也，姓李氏，名耳，字聃，周守藏室之史也"。至于他的生卒年，没有确切记载。

古人的名字

姓、名、字、号，是中国人名的传统称谓习俗。姓是氏族、家族共用的，如百家姓；名是个人独用的；字是对名的解释或补充，和名互为表里，所以也称为"表字"；号是一种固定的别名，又叫"别号"，多为本人自取，以此标榜个人的性格、情操。以唐代著名诗人白居易为例，白为姓，居易为名，乐天为字，乐天与居易意义相通，号香山居士，又号醉吟先生，从号可以看出，他是个爱喝酒的诗人。

老子是苦县人，苦县在什么地方呢？春秋时期，苦县本属于陈国，后被楚国所灭，但陈国很快又复国了，还是一个独立的国家。所以老子的家乡在陈国，也就是现在的河南省鹿邑县。

老子曾经担任周朝的"守藏室之史"，相当于现在的国家图书馆馆长。这份职业带给他得天独厚的便利，使他能够博览群书，熟知宗教掌故。《汉书》有言："史官历记成败存亡祸福古今之道，然后知秉要执本。"从这里可以看出，老子能够彪炳千古，是他的深厚积淀使然。

作为周朝的官员，老子为周室效力的经历可谓一波三折。老子任守藏室史始于周灵王二十一年（公元前551年），一做就是十多年，直到周景王十年（公元前535年）受到权贵排挤，被免去官职。没了职务，老子开始游历生涯，这期间，他去往周边国家传播自己的学说。5年后，老子被召回周室重操旧业，仍担任守藏史，一干又是十几年。在周敬王四年（公元前516年）的动乱中，图书馆内典籍被王子朝携带至楚国，老子再次被罢免。心灰意冷的老子，回到故乡陈国。

眼见周王室日渐衰落，老子决意出函谷关，四处云游。尹喜是负责把守函谷关的官员，他对老子仰慕已久，见到老子后，喜出望外。此时的老子骑着青牛，正要出关，尹

老子骑牛

喜得知原委，执意要老子留下。听出老子去意已决，尹喜对老子说："烦请先生为我们留下一部著作。"这才有了流传千古的《道德经》。写完这本书，老子就骑着青牛飘然而去，相传归隐于景室山，也就是现在的老君山。

据传，老子非常长寿，有说他活到101岁，也有说他至多活了90多岁。《庄子·养生主》有载："老聃死，秦失吊之，三号而出。"讽刺的是，老子活着时曲高和寡，其学说不被执政者采纳，却在死后千余年被封为太上玄元皇帝、太上老君混元上德皇帝。

二、老子学说

老子毕生的思想学说都汇集在《道德经》（又名《老子》）一书中。《道德经》全书仅5000余字，分为上、下两篇，字字珠玑。上篇第一句是"道可道，非常道；名可名，非常名"，所以被人称为《道经》。下篇第一句是"上德不德，是以有德；下德不失德，是以无德"，所以被人称为《德经》，合称为《道德经》。《道经》主要讲述宇宙根本，解释天地变化、阴阳变化之玄妙；《德经》主要讲述处世之方，内含人事进退之术，蕴含长生久视之道。

《道德经》的版本

《道德经》在流传过程中，经历了不断的增删修改，加上在传抄刊印过程中出现的错误，因而出现了多种版本。根据学者统计，清代之前，《道德经》的版本多达103种，目前，校订本更是有3000余种之多！我们究竟该以哪一版本为准呢？现在学术界较为认同的有三个版本，分别是王弼的版本、湖南长沙马王堆汉墓出土的帛书版和湖北荆门郭店楚墓出土的竹简版。其中，王弼的版本由于行文流畅、浅显易懂，流传最广，被普遍认可接受。对初学者而言，可以在通读这一版本之后，再结合帛书版和竹简版进行对比阅读，会有更深刻的体会。

马王堆出土的帛书《道德经》（局部）

老子思想的核心是"道"。"道生一，一生二，二生三，三生万物""人法地，地法天，天法道，道法自然"。在他的观念里，"道"存在于自然界之前，是"万物之宗"，同时又体现在万事万物运行的规律中，是超越一切的虚无本体，看不见，摸不到，却无法摆脱。

以"道"为基础，老子在政治上主张"无为而治"。"邻国相望，鸡犬之声相闻，民至老死不相往来"，这是他所勾勒的理想社会模式。这与老子出生于弱小的陈国不无关系。正如大国思想家常产生富国强兵理论源于他们有实力吞并小国，生活在小国的思想家由于常年目睹故土被欺凌、被侵略，则会顺理成章地产生反战争、反侵略的思想。

老子思想中最为闪光的是朴素的辩证法思想。"有无相生，难易相成，长短相较，高下相倾，音声相和，前后相随"这六个短句，把事物所包含的矛盾对立的两个方面诠释得生动形象而又淋漓尽致。同时，他还有更深层次的认识，即事物矛盾对立的两个方面既彼此联系，又相互转化。例如，"祸兮福之所倚，福兮祸之所伏"。

　　老子时常"观于水"，用水作为阐释哲学思想的媒介。他最为著名的论述当属"上善若水"。

　　上善若水。水善利万物而不争，处众人之所恶，故几于道。

　　居善地，心善渊，与善仁，言善信，正善治，事善能，动善时。夫唯不争，故无尤。

　　天下莫柔弱于水，而攻坚强者莫之能胜，其无以易之。弱之胜强，柔之胜刚，天下莫不知，莫能行。是以圣人云，受国之垢，是谓社稷主；受国不祥，是为天下王。正言若反。

　　在老子看来，水具有最高尚的品德，它能滋养万物生灵却不争名，能赐予万物利好却不与任何事物争利。水的这种高尚，就像道一样"处下"且"柔弱"。

　　持而盈之，不如其已。

　　大盈若冲，其用不穷。

　　老子还将水满而溢的现象提升到哲学高度：如果把装水的容器注满，水就会溢出；让容器留存一定的容量，才会经久耐用。这里他用水和容器的关系，比喻由盛而衰的转变，也体现着朴素的辩证法思想。

三、庄子：天马行空的哲学家

　　《史记》记载："庄子者，蒙人也，名周。"刘向所著《别录》称庄子"宋之蒙人也"，班固所著《汉书·艺文志》中在《庄子》下注释："名周，宋人。"意思是，庄子的故乡在战国时的宋国。

　　庄子曾做过漆园吏，相当于国家重要战略物资管理部门和大型国有企业的主管，在战国时期，是非常重要的部门。史书记载，庄子被称为"漆园傲吏"，后来"漆园吏"逐渐成为专指庄子的特定称谓。

　　庄子家境贫寒，但他坚持自己的追求，拒绝楚威王抛出的丰厚俸禄和显赫官位，隐居著书，潜心道学。他的文章如同本人气质一般，清新绮丽，充满浪漫主义色彩。特别值得注意的是，他的文章脱离语录体形式，多以寓言故事说理，富有幽默感和讽刺意味，对后世文学语言影响深远，他的文章代表了先秦散文的最高成就。

庄周故里

庄周故里位于河南省商丘市民权县庄子镇东北的青莲寺村，是河南省重点文物保护单位。当地留有许多有关庄周的传说和遗迹。

关于庄子的故里，是一个相持不下的难题。目前主要有河南民权说、安徽蒙城说、山东曹县说、山东东明说几种说法，每一地都有自己的"证据"，本书选取了被广泛采纳的河南民权说。

四、庄子学说

庄子是战国时期道家学派的代表人物。他的学术思想集中体现在《庄子》一书中。《庄子》全书长达10余万字，其中包括闪耀千年的名篇《逍遥游》《齐物论》《养生主》等。据传，庄子曾隐居南华山，死后亦葬于南华山，所以他的《庄子》一书也被奉为"南华真经"或"南华经"。

庄子继承并发展了老子"道"的思想，他认为"道"可传而不可受，可得而不可见，且"莫知其始，莫知其终"。他认为，道并不是虚无缥缈的，人通过提高修养，可以"得道"，与"道"融为一体。

庄子的辩证法思想更为激进，他认为事物矛盾对立面之间不仅可以相互转化，而且这种转化是无穷无尽的，所以在他看来，事物的性质和存在都是相对的、暂时的。事物之所以有高下之分、大小之别是由人的意识决定的，而不是因为其自身的性质。

庄子也把这种相对主义运用到为人处世的各个方面，可以视作一种弱小国家或没落贵族的无可奈何。比如，庄子说"知其不可奈何而安之若命，德之至也""安时而顺处"。他与老子相似的生活环境和人生经历，使得他们的思想共同指向了反对战争、小国寡民、遁世避俗的主张，成为后世人们关注内心、关注自我的一种解脱方式。

以水喻"道"在庄子的著作中也有体现，但与老子的思维方法和运用方式不同，他更擅长形象思维，通过与水相关的生动的寓言故事，阐释抽象的哲学道理。

秋水时至，百川灌河。泾流之大，两涘渚崖之间，不辩牛马。于是焉河伯欣然自喜，以天下之美为尽在己。顺流而东行，至于北海，东面而视，不见水端。于是焉河伯始旋其面目，望洋向若而叹曰："野语有之曰：'闻道百，以为莫己若者。'我之谓也。且夫我尝闻少仲尼之闻而轻伯夷之义者，始吾弗信。今我睹子之难穷也，吾非至于子之门则殆矣，吾长见笑于大方之家。"

在《秋水篇》的这则寓言故事里，庄子塑造了河伯和北海两个人物。骄傲的河伯看到百川汇流到自己的河道，浩浩汤汤向东奔流，以为天下之水都不能与自己媲美，十分得意。直到他看到宽广无边的大海，相形见绌，终于知道自己的渺小。

这样的故事还有很多，再如：

"夫千里之远，不足以举其大；千仞之高，不足以极其深。禹之时，十年九潦，而水弗为加益；汤之时，八年七旱，而崖不为加损。夫不为顷久推移，不以多少进退者，此亦东海之大乐也。"于是坎井之蛙闻之，适适然惊，规规然自失也。

这是井底之蛙的故事，井底的一只蛙认为自己在井中的生活惬意无比，专程邀请东海之龟前来观摩，但这只见多识广的海龟还没走进井蛙的这口井，就差点被卡住了，只好退了回去，并向井蛙讲述大海的壮观。井蛙方才知道自己见识的短浅，与上文的河伯如出一辙。

《秋水篇》里还有一则以水为背景，让人津津乐道的故事：

庄子钓于濮水。楚王使大夫二人往先焉，曰："愿以境内累矣！"庄子持竿不顾，曰："吾闻楚有神龟，死已三千岁矣。王巾笥而藏之庙堂之上。此龟者，宁其死为留骨而贵乎？宁其生而曳尾于涂中乎？"二大夫曰："宁生而曳尾涂中。"庄子曰："往矣！吾将曳尾于涂中。"

这就是著名的庄子不受楚王聘用的故事。楚王的使者见到庄子时，他正在濮水（在今河南濮阳）垂钓。姜太公钓鱼的故事家喻户晓，但庄子钓鱼绝不同于姜太公钓鱼，他是真正的闲情逸致，优哉游哉。

濠梁观鱼

庄子与惠子游于濠梁之上。庄子曰："鲦鱼出游从容，是鱼之乐也。"惠子曰："子非鱼，安知鱼之乐？"庄子曰："子非我，安知我不知鱼之乐？"惠子曰："我非子，固不知子矣；子固非鱼也，子之不知鱼之乐，全矣！"庄子曰："请循其本。子曰'汝安知鱼乐'云者，既已知吾知之而问我，我知之濠上也。"

这则故事讲的是，庄子和朋友惠施同游于濠梁之上，向往自由真我的庄子对于"出游从容"的体验很是赞同，所以认为鱼快乐。惠子不以为然，却被庄子辩得心悦诚服。这里体现了庄子寄情山水的自然观，是一种"修身"法则。

道家和道教有什么关系？

道家与道教之间存在着极为密切的关系。有学者认为，一定意义上，道教就是道家发展过程中出现的旁支，它继承并发展了道家学说的某些思想，但却失去了道家学说的哲学本色而演变为宗教神学。到隋唐以后，道家作为学术流派已经不复存在，即已经与道教混为一体，两者密不可分。

第二节 与时俱进的儒家学派

诸子百家中，影响力较大的有6家，分别是儒家、道家、墨家、法家、名家、阴阳家，此外，农家、纵横家、兵家、杂家等也有一定影响力。在中国历史上活跃时间最久、对社会产生极大影响的，当数儒家。孔子去世后三四百年，汉武帝"罢黜百家，独尊儒术"，将儒家认定为国家正统学问，从那以后2000多年，儒家思想在不断的迭代更新中成为古代历史上的主流思想。

一、孔子：万世师表孔圣人

孔子名丘，字仲尼，生于公元前551年，是鲁国陬邑（今山东曲阜）人。孔子的祖籍在宋国，他的曾祖因为宋国的一次动乱逃到了鲁国，从此孔氏便定居鲁国。

孔子的一生颇为坎坷。孔子的父亲叔梁纥曾任陬邑大夫，战功赫赫，在晚年时才有了孔子这个难得的"老来子"。孔子3岁那年，父亲叔梁纥就去世了，此后的生活没有父亲庇佑，十分贫苦；在十七八岁时，孔子的母亲也因为疾病离开了人世，门下的学生帮助他安葬了母亲。贫贱夫妻百事哀，仕途不得志的孔子没能给妻子亓官氏带来锦衣玉食的生活，在孔子身边陪伴多年后，亓官氏看不到希望，感情日渐淡漠，最终分道扬镳。

孔子唯一的儿子孔鲤，字伯鱼，因为在出生时鲁昭公赐给孔子一条鲤鱼而得名。孔鲤虽不如父亲一般才华横溢，但他尊礼守纪，胸襟豁达。他曾对自己的儿子说："你父不如我父。"这句诙谐的话语，透露着顾全大局的胸怀。然而就在孔子周游列国回到鲁国的那一年，孔鲤先他而去，白发人送黑发人，对69岁的孔子来说，无疑又是一次致命的打击。

孔鲤过庭的典故

孔子的学生中有一个叫陈亢。他想知道老师是否给他的独子孔鲤开小灶，对他们这群弟子留了一手，就问孔鲤："你父亲有没有特别教你一些什么？"孔鲤说，他经过庭院的时候，看见父亲，父亲问他有没有读过《诗经》，知道他还没读就说，读好《诗经》就能好好表达自己的想法。还有一次，他也是在庭院里遇到了父亲，父亲问他有没有读过《礼记》，知道他还是没读，也没有生气，而是告诉他学好了《礼记》就能懂得做人的道理。陈亢一听才明白原来自己误解老师了，一扫阴霾，变得高兴起来。陈亢对孔鲤说："通过与你的交流，我明白了三件事：一是要学好《诗经》，二是要学好《礼记》，三是知道了老师是光明磊落之人，对自己的儿子与学生一视同仁。"后人根据这个故事总结出了"孔鲤过庭"这一典故。

孔子的一生颇有建树。在接连遭遇重创的人生中，孔子一次次战胜挫折，以顽强的精神成为伟大的思想家、政治家、教育家和学者。

幼年的孔子十分好学，对什么都好奇、都发问（子入太庙每事问）。青年时期，孔子为了学"礼"，千里迢迢从曲阜去往东周国都洛邑拜访老子，向他问礼求学。这种乐于学习、勤于坚持的精神，让孔子成为当时有名的学者。仕途不顺的孔子把精力转向讲学，他广收门徒，教育弟子，并继续宣传自己的政治思想。

孔子中年时游历诸侯列国，锲而不舍地传播自己的政治见解。他带领弟子们，一边讲学，一边游历，历时 14 年。他们到过的齐、卫、陈等诸侯国，都在今河南、山东两省境内。孔子晚年回到鲁国，一面教学，一面整理文献，修《诗》《书》，定《礼》《乐》，作《易传》，72 岁始作《春秋》，形成"六经"，为后世留下丰富的精神财富。

儒家经典著作《论语》是孔子的弟子以及再传弟子整理而成的，成书时间大约在战国前期。全书共 20 篇 492 章，以语录体为主、叙事体为辅，集中体现了孔子及儒家学派的政治主张、伦理思想、道德观念和教育原则等。

孔子在教育方面有着突出贡献。周王朝的教育"学在官府"，只有贵族才有接受教育的机会。孔子出身贫寒之家，深知学习的不易，所以提出"有教无类"，率先聚徒讲学，打破了贵族对教育的垄断，招收门徒没有门第、等级限制。《史记·孔子世家》记载："孔子以诗书礼乐教，弟子盖三千焉，身通六艺者七十有二人。"颜回、曾参、子路、子贡等，都是孔子的得意门生。

孔子不仕退修诗书

"莫春者，春服既成，冠者五六人，童子六七人，浴乎沂，风乎舞雩，咏而归。"这句话所体现的是孔子对"大同"世界的追求及其对"天人合一"境界的向往。

孔子政治思想的核心是"仁"。在他看来，"仁"是复"礼"的手段，"克己复礼为仁""一日克己复礼，天下归仁焉"。孔子一生都是周天子和鲁国国君的绝对拥护者，他认为人要约束自己的言论行动，遵循周公的宗法礼制。这一思想的产生与孔子生活的环境有密切关系。历史学家将孔子生活的春秋时期称为"礼崩乐坏"，此起彼伏的历史运动使得周礼难以恢复。孔子做了努力，55 岁那年是他政治生涯的巅峰，也是谷底，他旨在打破贵族政治的"堕三都"大计以失败告终，他也因受人排挤被夺去大司寇之职，被迫离开鲁国开始周游列国。

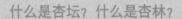

什么是杏坛？什么是杏林？

"杏坛"是指孔子讲学的地方，亦是孔子教育事业光辉的象征。位于今山东省曲阜市孔庙的杏坛为后人纪念孔子办学而建：北宋年间，孔子的第四十五代孙孔道辅在修葺孔庙时，将正殿后移，在原址基础上改建成坛，并在四周种上杏树，取杏坛之名。后人用"杏坛"指代教书育人的地方。

"杏林"和"杏坛"虽然只有一字之差，意思却相差甚远。相传在三国时期，吴国有一位名医，名叫董奉，他周游天下，济世救人。他定下一条特别的规矩：看病不收钱，但是病人痊愈后，要在他居住的山上种植杏树，重症者种5棵，轻症者种1棵。几年下来，他的住处成了一片杏林。所以"杏林"指的是医生，人们用"杏林春暖"称颂医生的高明医术和高尚医德。

二、两大智者黄河边的对话

孔子问礼于老子，是中国古代思想史上的一段佳话。《史记》记载二人明确的会面记录只有一次，"孔子适周问礼"。这一次的拜访，由孔子的学生南宫敬叔奏请鲁君批准，还配备了车马仆役，算是一次外交活动，影响较大，所以流传了下来。《礼记》记载了孔子问礼于老子时，曾跟随老子"助葬于巷党"。当时老子在鲁国主持葬礼，孔子随之学习了一段时间。此外，《庄子》《水经注》和《吕氏春秋》等文献中均有孔子拜访老子的相关记载。虽然各类史书中的记录有所不同，但可以肯定的是，两大智者相会确有其事。在包括河南、山东、江苏、陕西、四川和江苏等地的黄河流域及长江流域，多次发现内容为"孔子见老子"的汉画像石。其中，以山东地区发现的为最多，占到总数的80%，这与山东地区是儒家思想发源地密切相关，同时散布于其他地区的"孔子见老子"汉画像石则更能说明这一事件已被当时社会广泛认同。

　　"孔子见老子"汉画像石的构图可以分为三类。第一类为孔子率众弟子拜谒老子。第二类为孔子与老子之间站有一稚童，据考证为项橐（tuó），《战国策》中言"项橐生七岁，而为孔子师"。第三类为画面上仅有孔子和老子两人相向而立。

"孔子见老子"汉画像石图案

汉画像石

　　汉画像石是汉代人雕刻在墓室、祠堂四壁的装饰石刻壁画。它在内容上包括神话传说、典章制度、风土人情等各个方面，被誉为汉代"百科全书"。在艺术形式上它上承战国绘画古朴之风，下开魏晋风度艺术之先河，奠定了中国画的基本法规和规范。汉画像石同商周的青铜器、南北朝的石窟艺术、唐诗、宋词一样，各领风骚数百年，成为我国文化艺术中的杰出代表和文化艺术瑰宝。

关于孔子与老子交流的记载，最为著名的发生在黄河之滨，两位智者面对滔滔河水发出人生感慨：

孔子说："黄河水不分昼夜地流淌，人的生命也是如此！（逝如斯夫，不舍昼夜！）"

老子认为，人生于天地之间，和天地自然本就浑然一体，看透了这一本质，就不会徒增烦恼。孔子想要推行仁义，但是苦于人生短暂，怕不能施行，所以感叹烦恼。老子则认为，仁义要顺其自然，不能人为推动，否则将背道而驰。

其后，老子指向黄河，问孔子为什么不学习水的德行。孔子不解，水有什么德行？老子以水作喻，说明水是因为懂得顺其自然才能成为"百谷王"。这番对话对孔子产生了巨大影响。这里，他是恭敬的学生形象，受教良多，决意践行。

三、"亚圣"孟子

到了战国中期，儒家思想内部又分生出几个派系，其中孟氏之儒占据相当分量，其代表人物是孟子。孟子，名轲，字子舆，邹（今山东邹城）人，是孔子嫡孙子思的门人。

孟母三迁

孟子小的时候，他的家离墓地很近，经常有人在那里祭祀跪拜。看得多了，孟子和小伙伴们也经常模仿，吹吹打打、哭哭啼啼。他的母亲说："这个地方不适合孩子居住。"于是她带着孟子把家搬到了集市旁。那里是商业聚集的地方，孟子和小伙伴们经常看到大人鞠躬迎客、讨价还价，又像模像样地学了起来。他的母亲说："这个地方也不适合孩子居住。"于是她又带着孟子把家搬到学校附近。在那里，孟子看到人们鞠躬行礼、进退有节，便也学着大人的样子，变得守秩序、懂礼貌、爱读书。这次，他的母亲满意地说："这才是我儿子应该住的地方！"在这样的环境中长大，孟子学成"六艺"，成为有名的大学者。

与孔子一样，孟子的幼年也经历了家道中落。相传他是鲁国贵族孟孙氏的后裔，父亲去世很早，家境十分贫苦。孟子在政治上亦颇有见解，他周游列国推行自己的政治主张，但都没有被诸侯国国君接受，于是效仿先师孔子，聚徒讲学，著书立说。孟子认为自己是孔子最正统的继承者。唐代学者韩愈曾在《原道》中写道："尧以是传之舜，舜以是传之禹，禹以是传之汤，汤以是传之文、武、周公，文、武、周公传之孔子，孔子传之孟轲。"所以，后世称孟子为"亚圣"，地位仅次于孔圣人。

孟子继承并发展了孔子"仁"的思想，主张推行"仁政"。孟子用不同场景描绘了他心目中的"仁政"：在治理国家方面，尊重贤良有才能的人，让英雄俊杰发挥才干，天下的士子们都会喜悦；在征税上，不对出租的房屋征税，天下的商人们都会喜悦，愿意在这样的市场上交易；在关卡上，仅是询问去往何处而不征税，在外旅行的人都会喜悦，愿意在这样的道路上往来；在农田里，不征收课税，农民们都会喜悦，愿意在这样的地方耕种；在居住的地方，没有苛捐杂税，百姓都会高兴。如果做到这几点，国家还不兴盛，那是不可能的。

孟子"仁政"学说是对孔子"仁学"思想的继承和发展，将其扩展为包括思想、政治、经济、文化等各领域的施政纲领，体现出他对劳动人民深切的同情和爱心。孟子的论述中，经常出现"然而不王者，未之有也"这样笃定的论述，是他对坚守"仁政"思想的充分自信。

孟子坚信人性本善，他认为每个人生来就是具备基本道德操守的。"恻隐之心，仁之端也；羞恶之心，义之端也；辞让之心，礼之端也；是非之心，智之端也。人之有是四端也，犹其有四体也。"如果将这种思想推而广之，用在国家的治理中，则"足以保四海"。性善论是孟子"仁政"思想施行的先决条件。

"民为贵，社稷次之，君为轻"的"民贵君轻"思想是孟子思想最为可贵之处。这一观点直观反映了战国中期奴隶制社会崩溃后，庶民地位提高这一历史现象。

四、儒家以水比德

奔流不息的黄河水给了儒家诸子丰富的联想，启发他们深刻思考，赋予水比喻和象征的意蕴，以水比德，表达自己的思想观点。

孔子的一段经典论述是儒家学派以水比德的最早记载：

子曰："知者乐水，仁者乐山；知者动，仁者静；知者乐，仁者寿。"

孟子认为人性本善，"人性之善也，犹水之就下也。人无有不善，水无有不下"。人性的善，就如同水往低处流的自然规律一样，是不容置疑的。孟子又以这一观点支撑他的"仁政"论："民之归仁也，犹水之就下，兽之走圹也。故为渊驱鱼者，獭也；为丛驱爵者，鹯也；为汤武驱民者，桀与纣也。"民心归顺，就犹如水顺流而下，野兽的天性是向旷野奔跑，只有施仁政，才能得民心，否则就会沦为桀纣那样的暴君，百姓就会揭竿而起，推翻残酷统治。

儒家学派的另一代表人物荀子，用水比拟治理国家，在民本思想的基础上，提出了著名的"载舟覆舟"比喻：

传曰："君者，舟也；庶人者，水也。水则载舟，水则覆舟。"此之谓也。故君人者，欲安则莫若平政爱民矣，欲荣则莫若隆礼敬士矣，欲立功名则莫若尚贤使能矣，是君人者之大节也。

在这里，荀子不像孔子、孟子那般含蓄，而是直截了当，用水与舟的关系比喻民与君的关系。类似的论述在《孔子家语》中也出现过，说明以舟、水喻君、民是儒家的传统。甚至唐太宗李世民也经常提及这一比喻来自我警诚，足见其影响深远。

汉代融合儒道的思想家、辞赋家扬雄也对水所蕴含的美德进行了阐述：

> 或问"进"。曰："水。"或曰："为其不舍昼夜与？"曰：
> "有是哉！满而后渐者，其水乎？"或问"鸿渐"。曰："非其往
> 不往，非其居不居，渐犹水乎！""请问木渐。"曰："止于下而
> 渐于上者，其木也哉！亦犹水而已矣！"

扬雄认为，要想在学问和事业上求取进步，就要如同流水，不仅要不舍昼夜，还要满而后渐，有了足够的积淀再前进。水的进取、谦虚、本分等美德，值得人们学习。

南宋理学大师朱熹是唯一非孔子亲传弟子而享受孔庙祭祀待遇的儒家学派继承发扬者，他在《四书集注》中对"知者乐水"是这样解读的：智（"知"通"智"）者达于事理而周流无滞，有似于水，故乐水。智者和水有一个共性，就是"动"，水流川流不息，智者的思维敏捷活跃，水的形态和特性常常给智者认识社会、感悟人生的启迪。朱熹写的著名七言绝句《观书有感》同样以水比德：

> 半亩方塘一鉴开，天光云影共徘徊。
>
> 问渠那得清如许？为有源头活水来。

儒家典型的精神就是"重本"，无论是做学问还是做人，都要有"本"，"本"就是源头的活水。

这里还要提到儒学的两位代表人物——程颢、程颐。他们传承子思、孟子一派的观点，创立新儒学，朱熹正是继承、发展了他们的学说，最后形成程朱理学体系。理学的突破在于用"天理""天道"，将粗糙的"天命观"取而代之，使得学说更为逻辑化、系统化、伦理道德化。

正是在历代儒家学派传承人的不断赓续中，儒家思想得以不断丰富、深化、改革、发展，历久弥新。

嵩阳书院

　　嵩阳书院位于河南省登封市，始建于北魏太和八年（484 年），是中国古代四大书院之一，司马光、范仲淹、程颢、程颐等历代大儒都曾在此讲学，著名的典故"程门立雪"就发生在这里。

嵩阳书院

第三节　智慧纷呈的墨家、法家、兵家

我们在前面介绍了对中国文化产生深远影响的道家和儒家两个学派。这一节，我们将目光聚焦墨家、法家和兵家，它们同样光彩夺目，是中国先秦思想界的明灯。

一、墨家：务实重干的行动派

春秋战国时期，墨家曾一度和儒家并称"显学"，其影响力甚至一度盖过儒家，是儒家最早的"反对派"。其创始人墨子，名翟，与其他先秦诸子不同，他并非坐而论道的理论家，而是起而行之的实践者，堪称中国古代"知行合一"的典范。近代思想家梁启超对多种文献资料进行甄别，推定墨子是鲁国人，生于孔子卒后的10余年，卒于孟子出生前的10余年。确定了墨子的生地和年代，就可以通过对环境的观察，研究其学说的渊源了。

墨子生于鲁国，年少时曾"学儒者之业，受孔子之术。既乃以为其礼烦扰，伤生害事，靡财贫民"（《淮南子·要略》），于是自立门派。

墨子生活的时代，社会更为动荡，战争更加频繁，人民更加痛苦，于是他提出了"兼爱""非攻"的政治主张，这也是墨家学说的核心。他反对战争，反对大国侵略小国。为了达到不相互讨伐的目的，墨子提出，对待别人的国家，要像对待自己的国家一样；对待别人的家族，要像对待自己的家族一样；对待别人的身体，要像对待自己的身体一样。所以，诸侯国之间相爱，就不会发生野战；家族宗主之间相爱，就不会发生掠夺；人与人之间相爱，就不会相互伤害；君臣之间相爱，就会相互给予恩惠；父子之间相爱，就会慈爱、孝顺；兄弟之间相爱，就会彼此融洽、协调。天下的人都相爱，强大者就不会控制弱小者，人多势众者就不会强迫人微言轻者，富足者就不会欺辱贫寒者，尊贵者就不会傲视卑贱者，狡诈者就不会欺骗愚笨者。全天下的祸患、怨恨都不会产生的原因，就是因为相爱。

和道家的反战思想不同，墨子代表的是小国的平民阶层，而老庄代表的则是小国贵族。这与墨子的出身有关。墨子是一个手工业者，在当时与公输般（鲁班）齐名，据说他们制作的"木鸢"能在天上飞三天三夜不落地。同时，墨子也在物理学、数学等自然科学方面有杰出成就。所以他更注重以实际行动反对战争。有一个小故事最能体现墨子的反战精神：

公元前440年前后，楚国准备攻打宋国，请当时最著名的工匠公输般制造了攻城用的云梯等器械。正在家乡讲学的墨子听说后非常着急，亲自出马，赶了十天十夜的路去劝阻楚王。他动之以情晓之以理，最终说服楚王撤兵。而且墨子还安排了大弟子禽滑厘带领300多名精壮弟子，帮助宋国守城。（《公输般为楚造云梯之械》）

这件事把墨子深切的同情、充分的张力、坚定的意志、灵活的机变和丰富的技能表现得淋漓尽致。墨家后代的钜子（墨家对墨学大师的称谓）还经常组织成员为弱国守卫城池，将之视为己任。

《墨子》是墨子及其弟子与后世墨家学者著述的汇总，堪称诸子百家留下的"最难读"的一本书。其中不仅有政治观点，更有生产技术知识，包罗万象，综合反映了春秋战国时期的生产水平。书中的科学技术知识涉及天文、物理、化学、制造工艺、土木建筑、测量技术等多个领域。

有学者称墨子为"大禹的传人"。墨子对大禹的崇拜可以用五体投地形容：

　　墨子称道曰："昔者禹之湮洪水，决江河而通四夷九州也，名川三百，支川三千，小者无数。禹亲自操橐耜而九杂天下之川；腓无胈，胫无毛，沐甚雨，栉疾风，置万国。禹大圣也，而形劳天下也如此。"使后世之墨者，多以裘褐为衣，以跂蹻为服，日夜不休，以自苦为极，曰："不能如此，非禹之道也，不足谓墨。"（《庄

子·天下》)

墨子对大禹的推崇，主要有两个方面：一是大禹采用"疏"的方法科学治水，这与墨家尊重科学技术的思想相统一；二是大禹不辞劳苦，亲力亲为，与墨家尊崇的苦行精神别无二致。

墨子以"节用"作为苦行精神的核心，在饮食上主张"量腹而食"，在服饰上"度身而衣"，在工作中"日夜不休"。他不仅这样要求自己，对门徒也有同样严格的要求。墨家与其他学派不同的是，他们有一个组织严密、纪律严明的团体，成员都是能文能武、兼具治国抱负和操作技能的"复合型人才"。

但是由于墨家思想与统治者背道而驰，还有他们严酷的自律让后人望而却步，墨家日渐式微。西汉以后，统治者崇儒抑墨，墨家的声音更加微弱。直到清朝中期，墨家著作才重新受到学者重视。

二、法家：独步天下的谋士

法家是在战国社会大变革中逐渐形成的一个政治哲学学派，与先秦时期其他学派最明显的不同在于，其真正参与了治国理政。如果说儒、墨在当时是思想学术的"显学"，法家就是在政治上独步天下的谋士。战国时期著名的法家代表人物有两位，一为商鞅，一为韩非。

商鞅姓公孙，名鞅，卫国人，又称卫鞅，后来因为在秦国以战功封为商君，所以后人更多称其为商鞅。他"少好刑名之学"，受法家思想的鼻祖李悝和早期代表吴起的影响很大。

商鞅本是魏国国相的家臣，后听闻秦孝公招贤纳士，便去往秦国，在那里辅佐秦孝公变法，奠定了秦国富强的基础。经过商鞅变法，秦国的经济得到发展，军队战斗力不断加强，发展成为战国后期最富强的集权国家。

商鞅的政治主张主要有三个方面：一是重农抑商，颁布《垦草令》，提出20种重农和开垦荒地的办法；二是重刑厚赏，他制定严酷的刑罚以立威，又通过重赏而立信,以此使国家安定;三是重战尚武,通过扩张的方式增强国力。他的变法实践和政治观,对秦国后来的发展产生了深远的影响。

商鞅变法

战国时期,秦国的秦孝公即位以后,决心图强改革,便下令招贤。商鞅自魏国入秦,提出了废井田、重农桑、奖军功、实行统一度量和建立县制等一整套变法求新的发展策略,深得秦孝公的信任,于是便任他为左庶长,在公元前356年和公元前350年,先后两次推行以"废井田、开阡陌,实行县制,奖励耕织和战斗,实行连坐之法"为主要内容的变法。

商鞅深得秦孝公赏识,他的意见和主张都得到采纳和实现。由于变法触动了很多权贵的利益,秦孝公死后,商鞅被处以极刑,但他的变法取得了巨大成功,推动了秦国社会的进步和经济的发展,秦国从此迅速崛起,为统一六国奠定了基础。

韩非是法家文化的集大成者。他出身于韩国的贵族家庭,"其归本于黄老……与李斯俱事荀卿,斯自以为不如非"。他和李斯都是荀子的学生,韩非不善言辞,但善于著书,曾建议韩国国君变法图强,被拒绝后,"观往者得失之变",著《孤愤》《五蠹》《内储说》《外储说》《说林》《说难》等文章,洋洋洒洒10余万字,最终受到秦王嬴政的赏识。

韩非目睹了战国末年新旧势力的斗争和诸侯割据的局面,总结了周天子弱小而诸侯强大的历史教训,主张加强中央集权。在他的著作中,出现了诸如"新圣""严天子""王资""帝王之资""兼天下"等词句,反映了他的这种愿望。他在《扬权》中更明确地指出"事在四方要在中央,圣人执要四方来效",以统一代替分裂,以集权代替割据。

为了使君主的神圣权力不受侵犯,韩非主张尊君卑臣,并提出要"强公室,杜私门"(《内储说》),主张对那些私门势力和恶虎一样的权臣,要

"散其党收其余，闭其门，夺其辅"（《主道》），予以坚决铲除和镇压。韩非的这一主张虽然在当时对于打击那些"亏法以利私，耗国以便家"（《孤愤》）的擅权重臣有进步作用，但他把君权绝对化并认为君臣利害关系相反，加深了君臣的矛盾。

韩非的"矛盾论"

"矛盾"这个词是韩非的"发明"。在他的《韩非子·难一》里有这么一个故事：

一个楚国人既卖矛也卖盾，他吆喝说："快来买我的盾啊，非常结实，什么也戳不坏。"又说："快来买我的矛啊，无比锋利，没有它戳不坏的东西。"路边看热闹的人就说："用你的矛，攻你的盾，会怎么样？"这个人答不上来了。（楚人有鬻盾与矛者，誉之曰："吾盾之坚，物莫能陷也。"又誉其矛曰："吾矛之利，于物无不陷也。"或曰："以子之矛陷子之盾，何如？"其人弗能应也。）所以说，世界上既不存在牢不可破的盾，也不存在无坚不摧的矛，说话做事，都要留有余地。

韩非的很多思想因老子而生，他将老子的"道"具象化，看作存在于万物之中的客观规律。"道者，万物之所然也，万理之所稽也"，道在他的眼中不再是神秘的、捉摸不定的，而是可以被人们认识和掌握的。

韩非的思想虽然有其时代局限性，有的甚至已不合时宜，需要批判地看待，但其中也有不少进步合理的成分，对后世产生了积极影响。

三、兵家：胜于无形的军师

兵家是诸子百家中颇受关注的一派，这与当时的历史背景有关。春秋末期至战国，列国争霸，战事频发，领兵打仗乃国之大事。一本军事宝典，自

孙武

然成为各国争相拜读的经典——这就是《孙子兵法》。

孙子，名武，字长卿，春秋末期齐国乐安（今山东惠民）人。从长辈为他取名"武"不难看出，孙子出生在一个精通军事的家庭。他也没有辜负家族的厚望，为后世留下了一部伟大的军事著作。《孙子兵法》全书只有6074个字，却内容丰富，是一部有大智慧的著作，不仅讲战术，更讲战略，将"不战而屈人之兵"作为最高境界，所以孙子对战争的态度是非常谨慎的。《孙子兵法》是我国最早的军事名著，孙子的思想对我国后代有深远影响。

孙子的家乡齐国出过很多有名的军事家、政治家，如姜太公、管仲、司马穰苴等。孙武成长在这样的环境下，自小就对军事有不俗见解，是人们口

山东临沂银雀山西汉墓葬出土的《孙子兵法》竹简与《孙膑兵法》竹简（局部）

中未来可期的军事奇才。但齐国内部卿大夫之间的内斗让孙子深感失望，于是他决意远走他乡施展抱负。

司马穰苴是谁？

司马穰苴本名为田穰苴。齐景公时，晋国和燕国分别从西、北两个方向攻击齐国。齐国重臣晏子向景公举荐田穰苴，任其为将，抵挡晋国和燕国的进攻。田穰苴自认出身卑微，不能服众，特向齐景公提出要求，委派有威望的人物出任监军一职。齐景公推荐了宠臣庄贾，田穰苴与其约定，第二天正午在营门集合出发。可是庄贾恃宠而骄，第二天只顾着和为他壮行的人喝酒，把约定抛在脑后。田穰苴在营门一等再等，几个时辰过去了，前线来报，齐国已丢了几座城池。为整顿军纪，田穰苴斩了庄贾，以肃军纪。由于治军有术，战功显赫，田穰苴被封为齐国大司马，所以又称司马穰苴。

随后，田氏家族和司马穰苴在齐国的势力日益壮大，引起世袭大贵族鲍氏、国氏、高氏的不满。他们纷纷向齐景公进谗言，陷害田穰苴。齐景公听信了三大家族的意见，革去田穰苴的职务。被贬后，田穰苴郁郁寡欢，忧郁而死。

孙子在十八九岁时去往吴国，那里是水乡泽国，河流纵横，孙子在写兵法时，自然多考虑水路作战。孙子认为，水是战争中最重要的因素，甚至比粮草更为重要，谁把控住了"水权"，就掌握了"大势"。这一思想最好的诠释当是三国时期诸葛亮北伐期间的"街亭之战"。诸葛亮任命马谡为主将，率大军驻守街亭（今甘肃秦安），卡住曹魏将领张郃的进攻。但马谡不顾诸葛亮的嘱咐，没有坚守城池，而是驻军山上。张郃到后，将山上的蜀军牢牢包围，并将其下山取水的道路断绝。于是，水成了这场战争制胜的关键。蜀军被困山上，无水煮饭，无水润喉，军心溃散，张郃一看时机成熟，发起总攻，街亭失守。这就是"诸葛亮挥泪斩马谡"的缘由。

孙膑

兵家代表人物还有孙武的后代——孙膑。他在孙武军事理论的基础上又有发展，"田忌赛马""围魏救赵""增兵减灶"都是其代表策略，《孙膑兵法》是他军事思想的集中体现。

孙膑认为，进行战争一定要谨慎，因为战争对经济的影响很大，如果战乱频繁，国家的经济将受重创，不利于巩固国家根基。他还对孙子"势"的思想加以发展，明确提出"因势利导"的作战原则。孙膑在中国军事思想史上同样占有重要地位。

第四章 黄河滋养的千年古都

都亦称国都、首都，是一个国家或政权执掌和行使最高权力的地方，通常也是一个国家或政权的政治、经济、军事和文化中心。黄河是中华民族的母亲河，它哺育了中华文明，也孕育了一座座千年古都，在华夏文明史上写下了浓墨重彩的一笔。

　　纵观中国5000年的定都史，从公元前21世纪的夏朝到北宋的3300多年间，黄河流域尤其是黄河中游和中下游之交的区域内，很长时间是中国古代的政治中心，并长期是中国古代的核心经济区或者是重要经济区。著名的"八大古都"，在黄河流经的区域内就有西安、洛阳、郑州、安阳、开封5座，它们像一颗颗璀璨的明珠在历史的长河里闪耀着光辉。

第一节 八水绕城：西安

　　西安，简称"镐"，古称长安、镐京，是中华文明和中华民族重要发祥地之一，是丝绸之路的起点，是"一带一路"的核心区。我国历史上，西周、秦、西汉、新朝、东汉、西晋、前赵、前秦、后秦、西魏、北周、隋、唐13个王朝都在西安建都，因此西安有"十三朝古都"之称。

> ### 长安八水
>
> 　　长安四周山环水绕，河流众多。西汉时，长安东有灞水、浐水，北有泾水、渭水，西有沣水、滈水，南有涝水、潏水，为其赢得"八水绕长安"的美誉。八水滋养着古都长安，孕育了光辉灿烂的历史文化。

一、秦皇汉武

　　秦朝和汉朝在中国历史上占有重要的地位，秦始皇和汉武帝是秦朝和汉朝的重要君主，为巩固中央集权采取了一系列创新的制度，这些制度对后世产生了深远的影响，并且对中国古代社会的历史具有推进作用，"秦皇汉武"也因此成为中国历史上大一统的象征，人们常把秦皇、汉武并称。秦朝和汉朝的都城都在西安，西安是秦始皇、汉武帝施展文治武功、雄才伟略的舞台。

　　从公元前230年至公元前221年，秦王嬴政先后灭掉韩、赵、魏、楚、燕、齐六国，结束了春秋战国数百年的诸侯争霸局面，建立了中国历史上第一个中央集权的统一的多民族国家——秦朝，统一了中国。

　　秦王嬴政统一六国后，认为自己"德兼三皇，功过五帝"，于是他采用三皇之"皇"、五帝之"帝"构成"皇帝"的称号，自称"始皇帝"。从此，"皇帝"的称号被中国历代君主所袭用。

接着，秦始皇废除了商周以来的分封制，在中央设丞相、太尉、御史大夫，在地方废除分封制，改行郡县制；统一文字、货币、度量衡。这一套中央集权制度和政权机构的确立，使得中国在历史上第一次实现了大一统的局面，具有划时代的意义。

此后，秦始皇又进行了开疆拓土，南伐百越、北击匈奴，并修建了骊山墓、阿房宫、万里长城等大工程，给后人留下了"世界第八大奇迹"——秦陵兵马俑。

西汉建立后，在汉武帝之前，中央行政体制基本上承袭秦制。汉武帝在巩固大一统王朝方面采取了一系列措施，建立了丰功伟绩，使他得以同秦始皇并列。

政治上，汉武帝进一步强化中央集权，继续削弱诸侯势力，收紧对春秋战国以来长期存在的门阀"养士"和游侠等各种社会力量的管控；为加强皇权，改革丞相制度，设立中朝（内朝），对后来的丞相制度演变产生了重大影响；采用察举制选拔官吏，是后代科举制度之源。文化思想上，独尊儒术，以儒家思想为国家的统治思想。军事上，平定南方闽越国战乱，派卫青、霍去病出击匈奴，收复河套地区，夺取了河西走廊。外交上，汉武帝派张骞出使西域，打通了丝绸之路，促进了中西方经济、文化的交流。他一边使用和亲、贸易、结盟等外交手段，一边发动战争，彻底扭转了中原王朝与北方游牧民族（当时最大的威胁是匈奴）的强弱格局，大大扩张了汉帝国的疆域。

二、西安的世界文化遗产

十三朝古都西安可以说遍地是文物，处处是古迹，尤其是强盛的西汉和唐朝都在西安建都，为西安留下许多珍贵的文化遗产。

1. 秦陵兵马俑

1987 年，秦陵兵马俑被联合国教科文组织批准列入《世界文化遗产名录》，并被誉为"世界第八大奇迹"，先后有 200 多位外国元首和政府首脑参观访问，成为中国古代辉煌文明的一张金字名片，被誉为世界十大古墓稀世珍宝之一。

秦始皇陵位于西安市临潼区城东 5 千米处的骊山北麓，是中国历史上第一座规模庞大、设计完善的帝王陵墓，其规模之大、陪葬坑之多、内涵之丰富，为历代帝王陵墓之冠。

根据考古发现，秦始皇陵的陵基为近覆斗方形，由夯土筑成，陵基东西宽 345 米，南北长 350 米。围绕秦始皇陵封土堆，在地面上还筑有两重南北向长方形城垣，即内城和外城。内城和外城的四面都有城门，内城和外城的四角还都修筑有角楼。根据史料记载，秦始皇陵中还建有各式宫殿，陈列着数不胜数的奇珍异宝。在秦始皇陵四周，分布着许多形制各异、内涵丰富的陪葬坑和墓葬，现已探明的有 400 多个，其中包括闻名中外的兵马俑坑。

兵马俑坑是秦陵的大型陪葬坑，位于秦始皇陵封土以东约 1.5 千米处。兵马俑坑共有 3 个，呈品字形排列。一号坑为步兵部队。二号坑是由骑兵、

秦陵兵马俑一号坑

战车和步兵（包括弩兵）组成的多兵种特殊部队。三号坑似为统率一、二号坑的指挥机关。三个坑共发掘出 7000 余件陶俑、100 余乘战车、400 余匹陶马和数十万件兵器。兵马俑坑均为地下坑道式土木结构建筑。秦兵马俑皆仿真人、真马制成，其中，武士俑高约 1.8 米，面目各异，从服饰、甲胄和排列位置可以区分出它们的不同身份；陶马高 1.5 米，长 2 米，体形健硕，肌肉丰满，昂首伫立，表情机警、敏捷，匹匹都像奔驰在战场上的骏马；出土的武器多为经过铬处理的青铜制品，至今仍锋利如新。

由 7000 余件兵马俑组成的气势磅礴、威武雄壮的地下军阵，再现了秦始皇当年为完成统一中国的大业而展现出的军功和军威，令全球瞩目，举世震惊。兵马俑不仅是陕西的标志，更是中国的标志。

2. 汉长安城未央宫遗址

公元前 202 年，刘邦称帝，改国号为汉，定都西安。未央宫始建于公元前 200 年，位于汉长安城地势最高的西南角龙首原上，在秦章台的基础上修建而成。未央宫作为西汉都城最重要的宫殿，是汉长安城的核心组成部分，是汉帝国 200 多年间的权力中心。

未央宫，是中国古代规模最大的宫殿建筑群，总面积约 5 平方千米，相当于 6 个北京紫禁城。西汉后直到隋唐时期，未央宫是多个朝代的理政之地。未央宫存世 1040 多年，是中国历史上使用朝代最多、存在时间最长的皇宫。未央宫的建筑形制深深地影响了后代宫城建筑，奠定了中国 2000 多年宫城建筑的基本格局。

在未央宫，汉武帝做出派遣张骞出使西域的重大决策，张骞也是在未央宫领取汉武帝的旨意出使西域，从而踏上了轰轰烈烈的凿空之旅。

3. 大雁塔

大雁塔位于西安市雁塔区（唐长安城遗址南部）的慈恩寺内，又名"慈恩寺塔"。慈恩寺乃唐高宗为太子时，为追念其母文德皇后，于唐贞观二十二年（648 年）所建，并以"慈恩"为名。慈恩寺建成后，迎请玄奘担任上座法师。玄奘于此创立了大乘佛教法相宗，此寺遂成中国大乘佛教的圣地。

　　玄奘法师为了供奉从天竺（今印度）经丝绸之路带回的佛像、舍利及妥善保存梵文经书，打算在慈恩寺正门外造石塔一座。他于唐永徽三年（652年）三月附图表上奏唐高宗。唐高宗批准了玄奘的规划，于是由朝廷资助、玄奘主持，在慈恩寺西院修建了大雁塔。

　　大雁塔四面门楣上有唐刻建筑图及佛像，正面两龛内嵌有褚遂良书《大唐三藏圣教序》及《大唐三藏圣教序记》石碑。自中唐以后，考中进士者常在塔中题名，称为"雁塔题名"。

大雁塔

　　大雁塔作为现存最早、规模最大的唐代四方楼阁式砖塔，是古印度佛寺建筑形式随佛教传播而传入中国，并融入华夏文化逐渐中国化的典型物证，是凝聚了中国古代劳动人民智慧结晶的标志性建筑。

雁塔题名

　　唐中宗神龙年间，一个叫张莒的进士游慈恩寺，一时兴起，把自己的名字题写在大雁塔下。不料，此举引得文人纷纷效仿。尤其是新科进士，在朝廷赐宴后，他们集体来到大雁塔，推举善书者将他们的姓名用墨笔题在墙壁上。在雁塔题名的人当中，最出名的是白居易。他还写下了"慈恩塔下题名处，十七人中最少年"的诗句。后来，雁塔题名就成了考中进士的代称。

小雁塔

4. 小雁塔

在唐长安城安仁坊（今西安市南郊），有一座荐福寺。荐福寺初建于684年，是为唐高宗献福而建的，所以最初叫献福寺。690年改名荐福寺。义净法师也曾千里迢迢循海道到印度取经，历经千辛万苦，24年终成回国，他是玄奘之后取经译经的伟大贡献者。义净法师曾在荐福寺译经、从事佛事活动。为了保存从印度带回的舍利和梵文经书，义净法师上书朝廷请求修建佛塔。唐景龙元年（707年），由皇宫中的宫人集资、著名的律宗大师道岸主持，在荐福寺营造了一座较小的佛塔，这就是小雁塔。

小雁塔初为15级密檐砖塔，后经多次地震损坏，又多次整修，现存13层，高43.3米。小雁塔是唐代同类密檐砖塔保存至今最早的一例。小雁塔所在的荐福寺，是唐代长安三大译经场之一，佐证了佛教自印度东传的历史，也见证了佛教在唐代长安的流行。

5. 唐长安城大明宫遗址

大明宫是唐朝三座主要宫殿中规模最大的一座，是唐朝最宏伟壮丽的宫殿建筑群，是中国宫殿建筑的巅峰之作，也是当时世界上面积最大的宫殿建筑群，是大唐帝国的政治中心与国家象征。大明宫始建于唐太宗贞观八年（634年），原名永安宫，次年改为大明宫；高宗龙朔二年（662年）重建，次年建成。大明宫的命运和唐帝国的命运紧密相连，当大明宫变成废墟的时候，唐帝国也接近了灭亡。

唐长安城大明宫遗址位于西安市北部的龙首原上，地处唐长安城东北，

唐长安城大明宫遗址

南倚唐长安城北墙而建，内有宫殿 30 多所，规模庞大。

唐长安城大明宫遗址按照南北依次排布前朝、中朝、内朝、寝区、后苑区。大明宫见证了中国古代农耕文明鼎盛时期唐代社会经济和文化的高度繁荣。大明宫的建筑形制不仅影响了我国后代的宫殿建设，还影响了当时多个东亚国家的宫殿建设。

2010 年 10 月，大明宫国家遗址公园正式开园迎客，主要景点有丹凤门、丹凤门遗址博物馆、大明宫遗址博物馆、大明宫微缩景观、含元殿、宣政殿、紫宸殿、太液池等，再现大唐盛世辉煌。

第二节　千年帝都：洛阳

洛阳，别称洛京，因地处古洛水北岸而得名。立于河洛之间的洛阳，有 5000 多年的文明史、4000 多年的城市史、1500 多年的建都史。在黄河母亲的哺育下，洛阳既有中原大地的磅礴敦厚，也有南国水乡的妩媚风流。洛阳代表最早的中国，也是最本色的中国，是历朝历代王者逐鹿中原的必争之地。从中国第一个王朝夏朝开始，先后有商、西周、东周、东汉、曹魏、西晋、北魏、隋、唐等 13 个王朝在洛阳建都，100 多位帝王在洛阳指点江山，因此洛阳有千年帝都之美誉。

隋唐大运河中心、洛阳牡丹、龙门石窟、应天门、定鼎门、白马寺、龙穴北邙、武皇定都、白居易归隐等关键词都为洛阳打上了历史古都的标签。

洛阳有夏都二里头遗址、偃师商城遗址、东周王城遗址、汉魏洛阳城遗址、隋唐洛阳城遗址等五大都城遗址。"伸手一摸就是春秋文化，两脚一踩就是秦砖汉瓦"是洛阳城的生动写照。

一、最早的"中国"——夏都二里头遗址

最早的"中国"在哪里？河南洛阳偃师二里头！二里头村南临古伊洛河，北依邙山，背靠黄河，是伊洛平原上的一个小村庄。

"昔三代之居，皆在河洛之间。"司马迁《史记》中记载的夏朝到底在哪里？千百年来，一直是未解之谜。20 世纪 50 年代初，考古工作者有了重大的考古发现——"二里头文化"。

1952 年，在河南省登封县王村遗址，考古工作者最早发现二里头文化遗存；1956 年，在郑州洛达庙遗址、董砦遗址，又发现此类遗存；1958 年

至 1959 年，在洛阳东干沟遗址又发现此类遗存，并确定年代晚于河南龙山晚期文化。1959 年至 1964 年，考古工作者对二里头遗址先后进行过 9 次发掘，发掘出大型宫殿建筑基址、陶窑、水井和 40 多座墓葬，并发现大量的陶器、石器、骨器和若干青铜器、玉器等。二里头遗址的文化遗存丰富，文化面貌鲜明，于是中国现代考古学的奠基人之一夏鼐于 1977 年正式提出以"二里头文化"命名、以二里头遗址为代表的这类文化遗存。此后，对二里头遗址的发掘考古工作持续不断，并取得了一系列举世瞩目的成果。

二里头遗址出土的陶高柄豆　　　　二里头遗址出土的陶斝　　　　二里头遗址出土的象鼻盉

二里头遗址的聚落面积约 300 万平方米，由中心区和一般居民居住区两部分组成。中心区包括宫殿区、贵族聚居区、手工业作坊区和祭祀活动区。二里头遗址的宫城，是迄今为止可以确认的中国最早的宫城遗迹。宫殿建筑群按照中轴线规划布局，方正规矩，中心区有纵横交错的道路网，其布局开创了中国古代都城规划制度的先河。在手工业作坊区发现了铸铜、制石、制陶、制玉、制骨等作坊遗址，出土有大量青铜器、石器、玉器、陶器、骨器等。二里头遗址出土的青铜器是中国最早的一批青铜器。其中的青铜爵、青铜斝用合范法铸造，是中国发现最早的青铜容器。其他铜器有刀、锛、戈、凿、戚、镞、铃等。二里头遗址中还出土数件镶嵌绿松石的兽面铜牌饰，是中国最早的铜镶玉石制品，也是不可多得的艺术珍品。出土的玉器则大多是礼器，有圭、璋、琮、钺、刀以及柄形饰等。

二里头遗址具有最早的城市道路交通网、最早的宫城、最早的按中轴线布局的宫殿建筑群、最早的青铜器铸造作坊、最早的青铜礼器群、最早的青铜近战兵器、最早的绿松石器作坊……这一切都表明，4000 年前中原大地上存在一个王权国家。

根据史书文献记载，"最早的中国"就是在河洛一带。二里头文化所处的洛阳盆地，在历史上一直就是名扬天下的。洛阳盆地的中心部，有 1500 多年 13 朝在这里建都，这是在世界文明史上都非常罕见的，而二里头是其中最早的。

如果说良渚文化是中国最早的文明、最早的古国，那么二里头文化就是中国最早的王朝文明、最早的王权国家，无愧为最早的"中国"！

二、周公与洛阳

"周公吐哺，天下归心"，曹操的这句诗，讲的是洛阳城的营造者——西周周公旦。

周公，即姬旦，西周文王姬昌的儿子、周武王的弟弟。因为姬旦的采邑在周（今陕西岐山东北部），爵为上公，故称周公。周公是我国西周初期的政治家、军事家、思想家、理论家、易学家、建筑学家。周公与洛阳有着很深的渊源，周公取得的丰功伟绩大都是在洛阳。

武王时，周公辅佐武王为灭商制定战略，经过几年的努力，时机成熟，武王带兵向商王朝发起最后的攻击。周公辅佐武王在今洛阳市孟津区举行"盟津之誓"，率军从孟津渡过黄河，与商军在牧野决战。在牧野决战前，周公发表了历史上著名的战前动员——《牧誓》，为将士们鼓舞士气。牧野之战，商军节节败退，纣王逃回朝歌，自焚于鹿台。至此，商朝灭亡，武王姬发建立西周王朝，周公是西周王朝的开国元勋。

周武王伐纣灭商后，返回都城镐京（今西安）的途中，大军停留在如今的河南省洛阳市偃师区附近休息。周武王与周公商议国事。他们认为，周朝都城在镐京，离殷商远，不好控制。虽然殷商被灭，但如果想稳定和控制殷商这块土地，必须要在东部建立新的都城。最后，他们选定了洛水和伊水弯曲处的这片平原，打算在此处建立东都。但是，西周建立后的第二年，新都计划还没来得及实施，周武王便因病在镐京逝世。

武王灭商后，周公提出以殷人治殷人、就地安置、分化瓦解。武王死后，其子姬诵即位，是为周成王。成王年幼，周公以摄政王身份代行国政。其间，殷纣王之子武庚发动叛乱。周公亲自率兵东征，以洛阳为中心，历经 3 年才平定了叛乱。

为了防止殷商遗民的叛乱，加强对中原地区及四方的控制，周公决定在雒邑营建新都东都成周，这也是周武王的遗愿。

在周公和召公的统领下，他们在洛水旁修起了宗庙、宫殿和市肆，一座与镐京遥相呼应的巨大城市修建起来了。从周成王五年（公元前 1038 年）三月到十二月就完成了营建雒邑的伟大工程。

成周城建成后，周成王下令把周武王从殷都搬来的象征王权的九鼎挪到雒邑，史称"成王定鼎于郏"，郏即雒邑。雒邑成周、镐京宗周同为都城，开创了我国都城史上的"两都制"。

在周公的辅佐下，西周渐渐走上正轨。为了更好地管理国家和人民，周公日夜思索，决定制定一个统一的制度来规范国人。在总结夏礼、殷礼的基础上，周公颁布了一系列典章制度，来规范社会各个阶级的职能。此外，周公还制定了一系列礼乐制度，即周礼，成为当时的社会规范。史称周公"制礼作乐"。另外，被称为"大道之源""群经之首"的《周易》一书也倾注有周公的心血。《周易》由文王作卦辞，周公作爻辞。周公与洛阳的渊源昭示了洛阳在黄河文化中占据着重要的地位。

周公庙内周公制礼浮雕

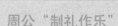

周公"制礼作乐"——内容主要是"礼义""礼仪"和"礼俗"，几乎包括了衣食住行等生活的各个方面。周公"制礼作乐"，规范了社会秩序，周朝的制度基础得以奠定，标志着周朝的统治彻底走向正轨，对巩固周王朝起到了重要作用。

周公的思想影响中国封建社会长达 2000 余年，成为中国传统文化的重要组成部分。儒家创始人孔子特别仰慕周公，他的学说多来源于周公的礼乐之制。

三、佛教祖庭——洛阳白马寺

出洛阳老城向东约 12 千米，远远就能望见一座由红砖雕砌的庄严山门，走近山门，可见门前左右两侧各有一白马雕塑。这就是始建于东汉永平十一年（68 年）的中国第一古刹——白马寺，距今已有 1900 多年的历史。

关于白马寺的创建有一流传甚广的传说。东汉永平七年（64 年）元宵佳节（一说四月八日），汉明帝刘庄（刘秀之子）夜晚在南宫睡觉。当天晚上，他做了一个梦。梦中，他看见一个从西方而来的神仙，这个神仙身高丈六，全身有光环绕，并绕殿庭而飞。第二天，在早朝上，汉明帝把这个梦告诉群臣，询问群臣梦中的神仙是何方神仙。太史傅毅博学多才、见多识广，他向汉明帝启奏道："我听说西方有个神仙，名字叫佛，面貌、形状如陛下梦中见到的。"汉明帝听了之后信以为真。于是，汉明帝派遣使臣郎中蔡愔、秦景等 10 余人前往西域，拜求佛经、佛法。

永平八年（65 年），蔡愔、秦景等人离开洛阳，踏上了"西天取经"的万里征途。历经千辛万苦，他们到达西域大月氏国（今阿富汗境至中亚一带）。在那里，他们恰巧遇到正在当地游化宣教的天竺（今印度）高僧、佛学大师摄摩腾、竺法兰，得见佛经和释迦牟尼佛像，他们恳请两位高僧东赴中国弘法宣教。

永平十年（67年），两位天竺高僧应东汉使者之邀，用白马驮着佛经、佛像，与东汉使者一起回到洛阳。汉明帝对此次西域求佛法满载而归很满意，他隆重接待了两位天竺高僧，并将他们安置在当时负责外交事物的官署——鸿胪寺暂住。

永平十一年，为方便弘法，汉明帝敕令在洛阳城西雍门外按照天竺国的建筑式样兴建僧院，藏经供佛。白马一路驮经，不辞劳苦，为表达对白马的感激之情，僧院取名"白马寺"。从白马寺始，我国僧院便泛称为寺，白马寺也因此被认为是我国佛教的发源地。

在白马寺建成以后的150多年里，共有192部、395卷佛经在白马寺译出，白马寺成为当之无愧的中国第一译经场所。

白马寺现有五重大殿（由南向北依次为天王殿、大佛殿、大雄殿、接引殿和毗卢殿）、四个大院、东西厢房和国际佛殿苑。

白马寺作为中国佛教活动中心，吸引了日本、越南、朝鲜等地僧人来此览经求法。白马寺的兴建，使佛教文化在中国广泛传播，促进了国际文化的交流，并对中国人民的道德观念、思想文化产生了重要的影响。千百年来，白马寺一直被东亚文化区域尊为"祖庭"和"释源"（佛教为释迦牟尼所创，故又称释教）。

洛阳白马寺

四、隋唐大运河中枢洛阳城

隋仁寿四年（604年），隋炀帝杨广即位，成为隋朝第二位皇帝。他在位期间，下令大规模营建东都洛阳，并决定开凿以洛阳为中心，北到涿郡（北京）、南达余杭（杭州）的大运河。隋大业元年（605年）三月，隋炀帝征用河南诸郡男女百余万人，从西苑引谷水、洛水至黄河，自板渚引黄河通往淮河，开通济渠，八月完工。同年，隋炀帝又动用10万民工疏通古邗沟，连接了淮河与长江，构成大运河下半段。隋大业四年（608年），隋炀帝下诏征发河北诸郡男女百余万人修永济渠，引沁水，南面到达黄河，北到涿郡，构成大运河的上半段。隋大业六年（610年），隋炀帝重开江南运河，直抵余杭。至此，共动用500余万民工，费时6年，以洛阳为中心，连通海河、黄河、淮河、长江、钱塘江五大水系，连接中国东西、贯通中国南北的大运河全线贯通。唐朝以后，史学界就把唐朝沿用的隋朝的这4条相连通的运河，统称为隋唐大运河。

东都洛阳的营建和隋唐大运河的开通极大地便利了隋唐王朝的军事调度和物资分配，加强了中央王朝对地方的政治统治和军事统治。自通济渠兴修之后，洛阳成为隋唐大运河南北两段的衔接点，也成为南北经济交流和物资集散的枢纽。依靠隋唐大运河的航运便利，江南地区大量的赋税、绢帛和物产源源不断地运输到洛阳和长安，对隋唐尤其是唐朝的长治久安起到了举足轻重的作用。

隋唐大运河的开通，使贯通南北的大规模水利航运形成。大量商品通过运河运到洛阳，使洛阳成为当时全国的商品交易中心。洛阳还是当时重要的粮食、布帛储藏地，茶叶转输地和瓷器集散地。得益于隋唐大运河，洛阳的经济日趋繁荣。通济渠的通航还大大振兴了洛阳的漕运事业。

隋唐大运河的开通有力地促进了南北文化交流，使洛阳成为南北交流的枢纽和中心，使洛阳具有了多元开放的城市品格。

洛河经洛口（今巩义）汇入黄河，由黄河与大运河相连。洛水为隋唐洛阳城的轴线，沿轴线两侧，洛阳城分布有100多个里坊，布局严整，规模宏大。隋唐洛阳城代表了隋唐时期我国城市建设的最高水平。

隋唐大运河的开通，使洛阳不仅成为当时东西南北交通的中心枢纽，还联结着陆上丝绸之路和海上丝绸之路，因此，外国使节和商人乘坐远航船只可以直达洛阳，洛阳成为当时对外交流中心、国际性大都市。

总之，隋唐大运河使洛阳在政治、经济、军事方面的重要地位得到了进一步的巩固，促进了洛阳的繁荣发展。

隋唐洛阳城定鼎门遗址

定鼎门是隋唐洛阳城外郭城正南门，位于隋唐洛阳城中轴线上。始建于605年，隋朝时称"建国门"，唐代改称"定鼎门"，并一直沿用至北宋，其间多有重修，前后沿用500多年。2014年6月22日，洛阳城定鼎门遗址正式列入《世界遗产名录》。隋唐洛阳城定鼎门遗址是公元7—10世纪丝绸之路东方起点——洛阳的南入口及街区遗址，作为隋唐时期都城的代表性遗存，代表了隋唐时期农耕文明的发展水平，展现了丝绸之路鼎盛时期起点都城城市格局的礼制特征及其影响力。

洛阳城定鼎门遗址博物馆

第三节　黄帝故里：郑州

郑州位于黄河中下游地区，天地之中，远古时期华夏先民就在此繁衍生息，华夏人文始祖黄帝出生并建都在轩辕，是黄帝部落的统治中心，是哺育我国早期农耕文明的核心区域。约公元前 2070 年，禹在阳城（今登封告成）建立了夏朝。3600 年前，商朝在此建都——亳都，今天的郑州中心城区仍保留着 7000 米长的商代城墙遗址。西周时期，周武王封他的三弟鲜于管，建立管国，管国都城在今郑州市管城回族区。春秋战国时期，新郑成为中原地区重要的城邑，郑国迁都新郑，国势日渐强盛。韩国灭郑国后，将都城由阳翟迁至新郑，新郑作为郑国、韩国都城的时间长达 500 年。

郑州历史悠久，人杰地灵，名胜古迹众多，有世界文化遗产"天地之中"历史建筑群和大运河通济渠郑州段。在郑州周围，还有星罗棋布的古城、古墓葬、古关隘和古战场遗址，著名历史人物列子、子产、杜甫、白居易、李商隐等均出生在郑州。

一、郑州商代遗址

郑州商代遗址在郑州市管城回族区内，是商代第一位国王——汤所建的亳都，是商王朝前期（前 16 世纪—前 13 世纪）的政治、经济、军事中心，是全国重点文物保护单位。

郑州商代遗址包括三重城垣遗址、宫殿区遗址、居住聚落遗址、墓葬区、手工作坊遗址、窖藏坑等遗迹类型，出土了大量石器、陶器、铜器、玉器、骨器等生产工具和生活用具。

三重城垣和宫殿区的整体形制奠定了中国都城发展的基础。宫殿区遗址中发现的供水系统严密科学，水井经过精心券砌，蓄水池和输水渠用青石板铺成，是我国发现最早的城市供水设施之一。

郑州商代遗址出土有数以万计的文物，陶器最多，其次是青铜器、石器、骨器，还有玉器、瓷器、象牙器、蚌器等。玉戈、玉铲、玉璋、玛瑙等珍贵玉器，反映了当时的制玉工艺已达到相当高的水平。城址内东北角出土了一件夔龙纹金箔，十分罕见。

城址西墙外一座商代墓内出土了一件完整的光亮晶莹的原始青釉瓷尊，这件原始青釉瓷尊的出土把我国的制瓷历史上溯到 3000 年前。而杜岭铜器窖藏中出土的一件方鼎（称杜岭方鼎），高 100 厘米，重 86.4 公斤，已成为郑州市的象征。

在商代遗址上，曾经聚集着东汉文庙，唐朝开元寺、夕阳楼，元朝北大街清真寺，明朝城隍庙、天中书院，清朝岳氏民居等，串起了古都郑州 3600多年的厚重历史。郑州商代遗址的发现对认识商代前期历史、对商文化研究和中国早期青铜文明研究以及中国古代城市的形成发展研究具有重要的意义。

二、郑韩故城

郑韩故城位于今新郑市市区周围，双洎河（古洧水）与黄水河（古溱水）交汇处。春秋战国时期，郑、韩两国先后在此建都长达 539 年，是当时的政治、经济、军事、文化中心，距今已有 2700 多年的历史。

经过多次发掘，郑韩故城出土有大量文物和建筑遗址，具有很高的考古价值。郑韩故城平面呈不规则的三角形，故城分为东西两城。西城集中分布着郑、韩两国的宫殿区、贵族府邸，是当时的政治中心。东城包括手工业作坊区（铸铜、铸铁、制陶、制玉、制骨等）、平民居住区、祭祀区和郑国贵族墓葬区等，为当时的经济中心。

1923 年，李家楼郑公大墓中出土青铜器、碎铜片、陶器和贝币等 1500多件，其中最精美的青铜器是一对莲鹤方壶，一件收藏于北京故宫博物院，另一件收藏于河南博物院。

1997 年，郑国祭祀遗址发现青铜礼乐器坑 28 座，出土郑国公室青铜礼乐器 470 件，殉马坑 93 座。1997 年 8 月，在宫殿区内发现一通整体呈圭形，像匕首一样尖尖的无字碑，相关专家认为这是"中华第一碑"。

2001—2002 年，在郑国公族墓地北端发掘春秋大型车马坑 1 座，清理出各式葬车 22 辆；发掘国君中字形大墓 1 座，在南北墓道中清理出 30 多辆葬车，数量之多、形式之多样、规格之高，国内罕见。

2017 年，郑国 3 号车马坑清理出 4 辆马车和 90 匹陪葬马匹，是郑韩故城内挖掘出土的最大车马坑。出土的 1 号车车长 2.56 米、宽 1.66 米，车舆顶部有防雨防晒等设施，装饰奢华，车舆顶部周边装饰着管状铜器、骨器，车篷上有彩席遗痕，刷新了郑韩故城内出土马车的纪录。

三、登封"天地之中"历史建筑群

"天地之中"历史建筑群指的是分布于登封市嵩山腹地及周围的历史建筑群，包括观星台、少林寺建筑群（常住院、初祖庵、塔林）、东汉三阙（太室阙、少室阙、启母阙）、中岳庙、嵩阳书院、嵩岳寺塔、会善寺等 7 处 11 项古建筑，是中国时代跨度最长、建筑种类最多、文化内涵最丰富的古代建筑群。此建筑群历经汉、魏、唐、宋、元、明、清各个时期，上下绵延 2000 多年，构成了一部中原地区形象直观的建筑史。

嵩山太室山又叫天室，自古以来人们就认为这里是神居住的地方，是天子与神沟通的地方。在"君权神授"的古代，嵩山就成了历代帝王接天通地、永固江山、昌盛国运的祭祀对象。《史记》记载，中华人文始祖黄帝就常到嵩山"与神会"，开创了祭祀嵩山的先河。周武王在灭商后，为了体现其正当性，首先会同各路诸侯，在姜子牙的陪同和众臣的簇拥下，登上太室之巅，举行了隆重的封天祭地仪式。

周武王去世后，周公为了寻找"天地之中"营建东都，在嵩山脚下的阳城（今登封告成）"以土圭之法，测土深，正日影，以求地中"，于是得天地之中。

告成镇的周公测景台和元代郭守敬创建的登封观星台，从侧面反映了嵩山地区为"天地之中"的历史传承。

秦、汉之后，帝王祭祀嵩山从未中断，嵩山成为中华文明最早、最重要的圣山。嵩山的圣山地位，是嵩山历史建筑群形成和发展的直接动力。

东汉安帝元初、延光年间（114—125 年），阳城长吕常和颍川太守朱宠分别主持建造太室阙和少室阙、启母阙，东汉三阙不仅是中国现存最古老的国家级礼制建筑遗存，更是研究东汉时期建筑史、美术史和社会史的珍贵实物遗存。

北魏定都洛阳后，因嵩山地近京畿，皇帝多次巡幸游狩，在嵩山腹地创建了 4 座重要寺院：少林寺、会善寺、嵩岳寺、嵩阳寺。北魏孝明帝正光年间（520—525 年）为纪念佛祖释迦牟尼而建造了嵩岳寺塔。该塔是嵩山地区历史上建造的第一座塔，也是中国历史上出现的第一座砖塔和中国现存最早的塔。

唐宋时期，社会经济繁荣，在帝王的扶持下，少林寺僧人创建了初祖庵，并在少林寺塔院修建了释迦塔和弥勒塔。中岳庙增修了峻极殿。嵩阳书院因得到皇家的重视，也极为兴盛。

元代，嵩山历史建筑群规模不断扩大，涌现出了天文科技建筑观星台、会善寺大殿、少林寺鼓楼等独具特色的重要建筑。

天地之中在河南，河南人常把"中"字口头挂。在河南方言中，"中"字无疑是最具丰富文化内涵的一个。

四、楚河汉界

中国象棋棋盘的中间有"楚河汉界"四个大字。楚河汉界来源于历史上的楚汉相争。《史记》载："鸿沟而西者为汉，鸿沟而东者为楚。"也就是说，鸿沟即"楚河汉界"。

鸿沟在古代荥阳成皋（今荥阳汜水）一带，它北临黄河，西依邙山，东连平原，南接嵩山，是历代兵家必争之地。公元前205年，项羽在彭城（今江苏徐州）大败汉军，刘邦退到荥阳。此后，楚、汉两军在荥阳一带互相攻伐长达两年之久，爆发了"大战七十，小战四十"。公元前203年，刘邦派兵攻打楚国的成皋，守将曹咎经不起刘邦军士多次到城下叫阵谩骂，怒而率部出城，欲渡过汜水与汉军作战。当船至河中时被汉军突袭而败，曹咎后悔不迭，自知无颜去见项羽，遂自杀而亡。刘邦顺利攻取了成皋，屯兵广武。项羽得知成皋失守，急回师广武，刘邦闭城不出。此后不久，刘邦兵分两路，一路仍在荥阳同项羽对峙，一路由大将韩信率军抄楚军后路，占领河北、山东一带。公元前202年秋，楚军粮尽，无奈之下与汉军讲和，双方约定以鸿沟为界"中分天下"。

鸿沟是中国古代最早沟通黄河和淮河的人工运河。战国时，为了战争需要，魏惠王开挖了鸿沟。它自荥阳引黄河水为源，向东流经中牟、开封，折而南下，入颍河通淮河，把黄河与淮河之间的济水、濮水、汴水、睢水、颍水、涡水、汝水、泗水、菏水等主要河道连起来，构成鸿沟水系。鸿沟向南通淮河；向东通济水、泗水，沿济水而下，可通淄济运河；向北通黄河，溯黄河向西，与洛河、渭水相连，使河南成为全国水路交通的核心地区。鸿沟的开凿，为后来南北大运河的开凿创造了条件。

秦始皇统一中国后，秦朝充分利用了鸿沟水系，把从南方征集来的大批粮食通过鸿沟运往北方，并在鸿沟与黄河分流处兴建了规模庞大的粮仓敖仓作为转运站。汉代以后，黄河多次迁徙改道，导致鸿沟河道阻塞淤积，鸿沟水运逐渐湮废。

如今，在荥阳东北的广武山上，有遥遥相对的两座古城遗址，西边的是汉王城，东边的是霸王城，就是当年刘邦、项羽所修筑。汉王城和霸王城中间那条宽约300米的大沟，就是刘邦与项羽对垒的鸿沟。

昔日沟通各方水系、车水马龙、繁华无比的鸿沟，而今虽然不再像

2000 多年前那样处于险要的战略位置，但它所承载的那段遥远的历史往事和中华民族百折不挠、拼搏不息的抗争精神却在岁月沉淀中愈显厚重。随着母亲河在新的发展时期涌起的澎湃乐章，那些流淌在中华儿女血脉中的灿烂黄河文化也必将再次令世人瞩目！

五、花园口

花园口位于郑州市惠济区北郊的黄河南岸。花园口历史悠久，最远可追溯到远古时期。得益于黄河的滋养，这里生活着早期人类——大河村人。据民间传说，花园口古称桃花浦，因为此处遍地桃树，春天桃花盛开，繁花似锦。明朝嘉靖年间，黄河岸边的许家堂村出了一个吏部尚书，名叫许赞。他在这里修建了一座花园，种植四季花木，终年都有鲜花盛开，引得附近男女争相游览赏花。后来，黄河南移改道，滔滔洪水把这座美丽的花园淹没，只留下了一个渡口。当地人为了纪念那座美丽的花园，便称此渡口为花园口。

郑州黄河险工始建于 1661 年，形成于 1902 年，其中最为著名的为花园口险工，它始建于 1722 年，为河南黄河段最长的单处险工。花园口险工主坝——90 号坝始建于清乾隆二十年（1755 年），当时这条坝的旁边有一座将军庙，所以又称"将军坝"。紧邻将军坝之处还有一头镇河铁犀。堤坝、河神、铁犀以及众多的民间传说，寄托着人们祈求黄河安澜的美好愿望，作为黄河文化重要的组成部分，沉淀在花园口这块厚重的土地上。

尽管花园口有着厚重的历史和特殊的地理形势，但是很长时间里它并没有名气。花园口一夜成名是因为一场人为悲剧——花园口决堤事件。1938

花园口镇河铁犀

花园口黄河段

年5月19日，侵华日军攻陷徐州，并沿着陇海线向西进犯，郑州危急。为阻止日军西进，6月，国民党政府决定"以水代兵"，下令扒开位于郑州市区北郊17千米处的黄河南岸的渡口——花园口，人为造成黄河决堤改道，史称花园口决堤，又叫花园口事件、花园口惨案。

抗日战争胜利后，国民党政府怀着水淹解放区的险恶用心，以所谓的顺应民意作为幌子，着手对花园口进行堵复。中国共产党以大局为重，同意黄河堵口归故计划，并提出先复堤、迁移河床内居民再堵口的主张。但国民党政府却一边谈判一边加紧堵口，公然撕毁协议，于1946年3月1日开始堵口，在经历两次堵口失败后，1947年3月15日凌晨，花园口决口处最终合龙。

为应对新的防洪形势，解放区晋冀鲁豫边区政府于1946年2月在山东菏泽成立冀鲁豫黄河故道管理委员会，不久更名为冀鲁豫黄河水利委员会，领导故道的堤防修复工作，从此拉开了中国共产党领导的人民治理黄河事业的序幕。1949年6月，华北、中原、华东三区联合组成黄河水利委员会。1949年10月1日，中华人民共和国宣告成立。1950年1月，中央人民政府决定将黄河水利委员会改为流域机构，统筹管理黄河治理与开发，人民治理黄河事业进入历史新阶段。

中华人民共和国成立后，国家十分重视黄河的治理和开发。毛泽东、邓小平、江泽民、胡锦涛等党和国家重要领导人都曾到花园口视察。70 多年来，人民治黄事业取得巨大成就，桀骜不驯的黄河实现了伏秋大汛岁岁安澜，为中华民族奉献了一份珍贵礼物。

如今，迈入花园口水利风景区，亭台楼阁错落有致，生态环境优美，在这里既能感受到这片土地的厚重历史，也会看到那段饱受苦难的沉重屈辱史，更能感悟到中国共产党人的初心使命，目睹人民治黄事业的伟大成就。

六、郑州黄河文化公园

郑州黄河文化公园（原名郑州黄河风景名胜区）位于郑州市西北 20 公里处，南依巍巍岳山，北临滔滔黄河，是国家级风景名胜区、国家 AAAA 级旅游景区、国家水利风景区，是融观光旅游、休闲度假、科普教育、寻根祭祖、弘扬华夏文明为一体的大型风景名胜区。

郑州黄河文化公园拥有壮美的大河风光、源远流长的黄河文化，历史古迹丰富，文化遗产深厚。公园内有五龙峰、岳山寺、大禹山、炎黄二帝塑像、星海湖五大景区，分布着"炎黄二帝巨塑"、"哺育像"、"大禹"、黄河碑林、万里黄河第一桥、毛主席视察黄河处、浮天阁、极目阁、孔雀园等 40 余处景点。

2019 年 9 月 17 日，习近平总书记来到郑州黄河风景名胜区，沿黄河岸边步行察看周边环境，了解沿黄地区生态保护、水资源利用、堤防建设和防洪形势等情况。在临河广场观景平台，习近平总书记凭栏远眺，天高水阔，林草丰茂，一片勃勃生机。次日，习近平总书记在郑州主持召开黄河流域生态保护和高质量发展座谈会并发表重要讲话，发出了"让黄河成为造福人民的幸福河"的伟大号召。习近平总书记为新时代黄河保护和治理工作举旗定

黄河文化公园内的炎黄二帝巨塑

向，擘画了宏伟蓝图。

2020年央视春晚郑州分会场舞台搭在了黄河文化公园的炎黄广场上，万千中华儿女，在炎黄二帝的巨塑旁，在宽阔的炎黄广场上，奏响了新时代的黄河大合唱。

第四节　殷商故都：安阳

安阳，古称殷、邺、相州、彰德等，简称殷或邺。历史上，先后有商朝、曹魏、后赵、冉魏、前燕、东魏、北齐在安阳建都，故安阳素有"七朝古都"之称。所有在安阳建都的朝代中，殷商的影响最大。

安阳还有"洹水帝都""文字之都"之美誉。另外，文王演易、妇好请缨、苏秦拜相、西门豹治邺、岳母刺字、蔺相如降生古相村、信陵君窃符救赵、项羽破釜沉舟、曹操邺城发迹等历史故事也发生在这里。

一、殷墟

3000 多年前，滔滔黄河奔流而下，滋润了殷商大地。商代从盘庚至帝辛，在此建都 273 年，创造了光辉灿烂的中国殷商文明。遥远的殷商王朝的历史密码在安阳尘封了漫长的 3000 年，20 世纪初期，"一片甲骨惊天下"，随着甲骨文的发现和解读，殷商建都安阳的神秘面纱也慢慢被揭开。

殷墟位于安阳市殷都区小屯村周围，以小屯村殷墟宫殿宗庙遗址为中心，沿洹河两岸呈环形分布，总体布局严整。殷墟遗迹主要有殷墟宫殿宗庙遗址、殷墟王陵遗址、洹北商城遗址、

殷墟甲骨

后冈遗址、甲骨窖穴、铸铜遗址、手工作坊等。在殷墟遗址，出土有中国最早的车马遗迹——车马坑、中国最早的祭祀场所——乙七基址和中国最早的女将军墓——妇好墓，还有迄今为止所发现的最重的青铜器——后母戊鼎。殷墟遗址还出土有大量的青铜器、玉器、陶器、骨角器等遗物。

　　甲骨文的内容非常丰富，涉及政治、经济、军事、文化、社会习俗和天文、历法、医药，生动地反映了殷商时期社会生活的方方面面，为我们了解当时的历史提供了第一手材料。甲骨文中所记载的资料将中国有文字记载的可信历史提前到了商朝。

甲骨文

　　甲骨文是汉字的祖先，是中华优秀传统文化的根脉。殷商人为什么选择在甲骨上刻字呢？殷商时期，安阳临近黄河，水资源丰富，河湖纵横。气候比现在温暖，降雨量大，森林茂密，植被丰厚。优良的气候、生态环境有利于动植物的生长和繁殖，此地生活着老虎、大象、麋鹿、野牛、地龟等野生动物，马、牛、羊、猪等已经被驯化并大量养殖。动物骨骼坚硬、不易腐朽且数量大，为刻写文字提供了充足的原材料。

　　商王盘庚把都城迁殷后，商朝的政治、经济、军事和文化都得到了发展，在商王武丁时期，商朝的国势达到了鼎盛。安阳成为当时全国的政治、经济和文化中心，也是最繁华的都市。在发掘出的带文字的甲骨中，70% 左右的甲骨都出自商王武丁时期。

　　商王武丁时期还出了两位杰出的女性——妇好和妇井（妇井又称母戊，她为武丁生了两个儿子——祖庚和祖甲，在武丁以后先后继承王位。两人念及母亲的恩德，制作青铜器后母戊鼎来纪念妇井），她们都是武丁的正妻，地位相当于王后。

　　古都安阳对我国都城的发展产生了深刻的影响。

一是提供了都城的样板。安阳为我国古代帝王选择都城提供了基本标准：首先要有山有水，地理位置险要。安阳西面有太行山，东面有黄河、漳河和滏河。其次是土壤肥沃，粮食充足。安阳是黄淮大平原的一部分，水源丰富、土壤肥沃，农业发达。最后是地理位置居于整个王国中部，易于控制整个王国。纵观殷商之后的都城，基本都依据了这三个标准。

二是都城长期稳定在一座城市。盘庚迁殷后，殷商的都城一直固定在安阳。从此以后，我国各个朝代的都城基本都长期稳定在一座城市，这有利于大一统封建国家的长治久安。

三是奠定了宫殿的基本规制和格局。安阳高大巍峨的宫殿建在高高的夯土台基上，周围是居住区和手工业作坊区，最外围是宽阔的护城壕沟，布局严整，奠定了我国后期都城的规制和格局。

二、颛顼帝喾陵

颛顼帝喾陵位于河南省安阳市内黄县梁庄镇，俗称"二帝陵"，民间称"高王庙"，是上古时期"三皇五帝"中第二帝颛顼、第三帝帝喾的陵墓。

内黄县与黄河有极深的渊源，它不仅处于黄河故道，而且名字也因黄河而得。传说，大禹治水时，劈开黎汤山，疏浚黄河水，他在内黄锁五龙、镇小怪，黄河的水才得以经内黄向北流去。因大禹治水有功，古时称这段黄河为禹河。大禹治水成功后的很长一段时期内，黄河一直在"禹河古道"中安静地流淌，造福人类。但是，夏商之后，因为黄河已经很长时间没有得到有效治理，泥沙逐渐淤积。终于，周定王五年（公元前602年），黄河在黎阳宿胥口决徙，黄河发生了有文字记载的第一次大改道。此次大改道，黄河由流经内黄西改为流经内黄东，留下了黄泽、金堤、高堤、鲧堤等历史遗迹。

根据史料记载，颛顼帝喾陵初建于汉代，在唐代立庙，宋代进行修缮；金代重修，元、明、清历代多次修葺。据记载，颛顼帝喾陵建筑宏伟，古朴典雅，院内碑碣林立，松柏葱郁。清代末期，颛顼帝喾陵被黄沙湮埋。1986

帝喾陵

年，当地清沙时，颛顼帝喾陵得以重见天日。

颛顼帝喾陵，双陵并峙，经考古确认均为汉代初建、元代修缮，发现有御桥、御道、神道、水井、山门、棂星门、庙院、寝殿、享殿等基址。颛顼帝喾陵陵区内清理出 165 通历代祭祀碑，碑文字体古朴遒劲，内容多为历代祭文、重修陵庙的庙记，以及文人墨客的诗赋。颛顼陵有元代、清代陵碑，帝喾陵有明代陵碑。元、明、清三代陵碑立于两位上古帝王陵前，实属罕见。

颛顼帝喾陵陵区内发现有大量仰韶文化时期的泥质以及夹砂红顶陶片，同时发现了龙山文化时期的遗物。在距陵区 25 公里的濮阳西水坡仰韶文化遗址中，发现有用蚌壳雕塑的龙虎图腾，这与传说中"五帝"时期的年代相吻合。

颛顼帝喾陵被誉为中华祭祀文化和姓氏文化的发源地，华夏寻根祭祖圣地。颛顼帝喾陵现为"河南文化遗产日"重点开放景区。

三、羑里城遗址

羑里城遗址又叫文王庙，是国家重点文物保护单位。它位于安阳市汤阴县城北 4 公里羑、汤两河之间的空旷原野上，是一处内涵丰富的河南龙山文化和商代晚期以至东周文化遗址。羑里城是殷纣王关押周文王姬昌 7 年之处，是我国历史上自有文字记载以后有史可据、有址可考的第一座监狱，也是周易文化的发祥地。羑里城因博大精深的文化内涵而名扬海内外，这里发生过"画地为牢""文王拘而演周易"的历史典故，这里还是"逆境发愤""自强不息"的民族精神的发源地。

3000 多年前，殷纣王对日益强盛的西岐心生疑虑，他找了个机会以蓄意谋反为借口将西伯侯姬昌软禁于羑里城。姬昌当时虽然年事已高，但他在被囚禁的 7 年中，以顽强的毅力发奋治学，潜心研究伏羲氏的先天八卦，并与他的"天道、地道、人道"思想相融合，将伏羲氏的先天八卦推演成六十四卦共 384 爻，著成《周易》一书，《周易》后为"五经"之首。这便是"文王拘而演周易"的历史典故。后人为纪念文王姬昌，在羑里城遗址上建起了文王庙。

羑里城遗址主要景点有文王庙、文王铜塑、禹碑（岣嵝碑）、演易台、

羑里城遗址

吐儿冢、八卦迷宫等。文王庙大殿气势雄伟，规模宏大；大殿中的雕塑传神逼真，庄严肃穆。文王庙院中古柏苍翠，碑碣林立。碑碣中最引人注目的是《文王易》碑，其上镌刻《周易》六十四卦及其释卦辞文，是研究《周易》的重要实物资料。院内西侧便是西伯侯姬昌被囚演易之所——演易台。游人到此大都会以身试阵，感受八卦的无穷奥妙。

四、西门豹治邺

西门豹，战国时代魏国人，是著名的政治家、治水名人。春秋战国时期，邺地处于魏国和赵国的交界处。魏文侯在位期间，选派西门豹担任邺令。

西门豹来到邺城，只见城市萧条、土地荒芜、人烟稀少，一片荒凉景象。邺城在漳河（漳河当时是黄河一大支流）旁，漳河迁徙无常，经常泛滥成灾，邺城受灾情况严重。于是，西门豹下定决心要治理好邺城外的漳河。可是，他制订好了治水计划，却没有人愿意参与。原来，在邺城有一个"河伯娶妻"的迷信活动。实际上是地方官三老和巫婆相勾结，谎称只有为河伯娶妻才能免除邺城不受洪水侵袭。他们借此年年大肆搜刮民财，并强迫穷人女儿当神妇，将其投入河中。百姓不堪压榨，纷纷出逃。

西门豹了解情况后，将计就计，在三老和巫婆再次为河伯娶妻的时候，

西门豹祠

把他们丢入漳河，从而破除了"河伯娶妻"的迷信。

为根治水患，西门豹派人勘察地形，动员大量人力、物力开挖河渠，灌溉农田。西门豹请来能工巧匠，经过千辛万苦，在漳河上修筑12座溢流堰，每座溢流堰凿一条水渠，设置闸门，这就是名垂千古的古代大型水利工程"引漳十二渠"。工程建成后，漳河由水害变成了水利，雨季可以分洪排涝，旱季可以引水灌溉、淤泥肥田。邺城的农业生产得到了发展。

在发展农业生产的同时，西门豹在邺城还实行"寓兵于农、藏粮于民"的政策，让邺城重新焕发了生机。在西门豹的治理下，邺城民富兵强，成为战国时期魏国的东北重镇，对魏国的经济发展起了重要的作用。

第五节 城摞城：开封

开封位于黄河下游，古称大梁、陈留、汴京、汴梁、东京等，简称汴。

夏朝（帝杼）曾在开封一带建都。春秋时期，东周王权衰微，列国争霸。郑庄公为开疆拓土，命大臣在今开封城南朱仙镇附近修筑储粮仓城，取"启拓封疆"之意，定名启封（西汉时因避景帝刘启之名讳，将启封更名为开封），与启封隔逢泽（沼泽地）相望的是卫国边境小城仪邑，它就是今日开封的前身。

战国时代，齐、楚、燕、韩、赵、魏、秦逐鹿中原。公元前364年，魏惠王把都城从安邑（今山西夏县西北）东迁到浚邑，号称大梁，浚邑南边的启封也纳入魏国版图。这是开封有明确历史记载的第一次建都。

除了夏、战国时期的魏建都于开封，五代时期的后梁、后晋、后汉、后周，北宋和金也定都于此，故开封被称为"八朝古都"。

开封历史上最辉煌的时期是北宋时期，北宋在开封建都时间长达168年，依托便利的大运河，北宋末年，开封发展成为中国乃至世界最繁华的国际大都市。北宋画家张择端的传世名画《清明上河图》描绘了清明时节北宋京城汴梁及汴河两岸繁华、热闹的景象和优美的自然风光。

开封与黄河关系密切，鸿沟兴大梁，汴河兴汴州，"四河"（汴河、蔡河、金水河、五丈河）兴东京。开封因黄河而兴，也因黄河得祸。北宋以前，黄河在河南安阳滑县以北流过，距离开封有100多千米。南宋以后，黄河开始在开封附近频繁决溢。

黄河水患频发，使黄河岸边开封城的地势、地貌、土壤等发生了巨大变化，使开封城的平均海拔比最初至少增高了10米；同时，造就了世界考古史和都城史上少有的"城摞城"奇观。

滔滔而下的黄河水，不时而起的战争烽火，一次次毁灭了古城开封的名胜古迹，甚至使开封整座城市遭遇灭顶之灾。但是，坚强的开封人民在洪水退后、在战争结束后，一次又一次以大无畏的英雄气概和百折不挠的毅力在废墟上重建开封城。开封是世界上唯一一座城市中轴线从未变动的都城。

千年不变的城市中轴线和三重城址（外城、皇城、内城），世界罕见的"城摞城"奇观，龙亭、铁塔、大相国寺、繁塔、包公祠、开封府、清明上河园等观光景点，既见证了黄河儿女的精神气质，也彰显了开封的古风古韵。

一、开封与黄河

开封自古水系发达。战国时期，有志称霸的魏惠王迁都大梁，因大梁地势低，易积水，于是梁惠王就开展了一系列治水引水工程。公元前360年，魏惠王自荥阳引黄河水入圃田泽，然后开大沟，引圃田水东流，经大梁城北再折向南，入颍水、涡河，沟通了黄河和淮河水系。这条大沟，就是后来历史上著名的刘邦与项羽楚汉相争瓜分天下的分界线——鸿沟。这道鸿沟对大梁起了巨大的作用，既排除了大梁附近的积水，又改善了农田灌溉条件。大梁也因地处鸿沟水系中心而成了水上交通枢纽。魏国的船只可以驶入韩、楚、卫、齐、鲁、宋等国，促进了魏国与各国的贸易往来和文化交流。魏惠王还大规模修建大梁城，建宫殿、造园囿，聚人口，大力发展手工业和商业。在短短十几年间，大梁便一跃而成为经济发达、人口众多、富甲中原的商业大都市，开封也由此有了历史上第一个兴盛期，魏国也随之成为强盛国家。魏国在大梁建都136年，在这136年里，大梁曾发生了孟子游梁、信陵君窃符救赵等诸多故事。可以说，黄河对大梁有哺育之恩。

秦王嬴政即位后，秦国对魏国的军事压力不断加大。公元前225年，秦王派大将王贲攻打魏国，由于大梁城池坚固，城墙外还有一道又一道纵横交错的水网，秦军久攻不下。后来，秦军分兵将大梁周围的水系网一一控制住，然后引黄河、鸿沟之水灌大梁，大水围城三个月，大梁城破，魏亡。开封城第一次遭到灭顶之灾。

魏国被秦国所灭之后，大梁进入了衰落期。到北周时，开封才慢慢恢复了元气。隋朝建立后，开封开始了它的第二次崛起。这次崛起和第一次一样，还是得益于黄河。

隋炀帝时期开凿的南达余杭、北至涿郡长达 2000 多公里的大运河是沟通南北的大动脉。大运河最重要的一段通济渠，自洛阳始，将谷水、洛水引入黄河，在经过一段黄河之后，又于板渚（今荥阳西北）将黄河水引向东南，经汴州（开封），流入淮河。大运河流经开封，让沉寂了数百年的开封又重新焕发出了生机。

进入唐代之后，位居汴河（即通济渠）咽喉要冲的汴州，已发展成为水陆交通重镇。安史之乱之后，唐王朝特在汴州设宣武军，并于建中二年（781年）重筑汴州城，这座汴州城后来被叠压在了开封"城摞城"的倒数第二层。

唐末至五代的百余年间，长安、洛阳由盛转衰，而汴州却借汴河之利蓬勃发展。

五代时期，除了后唐，后梁、后晋、后汉、后周先后定都于开封，当时开封叫"东都"或"东京"。在这一时期，开封取代洛阳，成为当时的政治、经济、军事和文化中心。其中，尤以后周对后世的开封城影响最深远。后周时期，周世宗在位期间，对都城东京进行了大规模扩建。他下诏对东京进行城市规划和改造：拉大城市框架，拓宽道路，修建新城，扩大外城，疏通汴河，兴修水利，治理水患，恢复了以汴州为中心的水陆交通网，使东京一跃成为中原的政治、经济、军事中心，为此后北宋东京的发展和高度繁荣奠定了基础。

960 年，赵匡胤在开封城北的陈桥驿（今属新乡市封丘县）发动"陈桥兵变"，建立北宋，定都开封。北宋时期是开封历史上最灿烂辉煌的时期，当时的开封城郭气势雄伟，经济繁荣，科技发达，人口过百万。此时，中国的对外交通已由汉唐以来的陆上丝绸之路转向东南沿海的海上丝绸之路，火药、印刷术等发明由此传播到世界各地。当时，开封不仅是全国的政治、经济、文化中心，还是世界上最繁华的大都市之一。

北宋时期的东京城，河道四通八达，运河成为城市的经济命脉，史称"四水贯都"。当时，穿城而过的四条河在东京城附近构成了庞大的水利交通网，使东京城的水利交通空前地繁荣起来，形成了"天下之枢"的有利地位，也极大地满足了东京城的物资供应。开封城内外还有金明池、迎祥池等大大小小的湖泊，开封因此获得了"北方水城"之美誉。

黄河水哺育、滋养了沿岸人民，但也曾给沿岸人民带来深重灾难。据统计，从先秦到 1949 年的 2500 多年里，黄河共决溢 1590 次，改道 26 次。决溢范围北起天津、南达江淮，纵横 25 万平方千米。洪水过后，河渠淤塞，良田沙化。满目疮痍，生态环境长期难以恢复。北宋时期，黄河上游水土流失越来越严重，黄河挟带的泥沙在河道内不断堆积，黄河变得桀骜不驯起来。据史书记载，从淳化二年（991 年）到宣和元年（1119 年），黄河发生水患达 20 次之多。

南宋建炎二年（1128 年），南宋东京留守杜充为阻挡金人南下，在滑县扒开黄河大堤，黄河改经滑县、濮阳以南，再经巨野、嘉祥一带汇泗水入淮河。从此，黄河经常向南泛滥，迁徙不定，逐渐向开封逼近，开封附近稠密的水网也成为黄河泄洪的渠道。黄河的多次泛滥，使北宋时期以黄河、汴河为主的"四大漕运"都因黄河水患而淤没，开封的四周也因此变成了一片沙海。元朝把大运河东移，不借道河南而改走鲁西南，开封又走向了衰落。

元、明、清时期，黄河泛滥成了家常便饭。据《开封府志》和《祥符县志》记载，从金明昌五年（1194 年）至清光绪十三年（1887 年）的近 700 年间，黄河在开封及其邻近地区决口泛滥达 110 余次。灾情最严重的一次发生在崇祯十五年（1642 年）。当年四月，李自成起义军围攻开封，官军闭门固守。河南巡抚高明恒为水淹起义军，在开封扒开黄河大堤。九月，李自成军也扒开黄河大堤，水淹开封城。黄河水波涛汹涌，从北门冲入开封城内，贯东南门出，城中万户皆荡尽，城中建筑所剩无几，开封全城被泥沙淤没成一片废墟。直到清顺治元年（1644 年）六月，黄河水才回复故道。

清道光二十一年（1841 年），黄河在开封城西北张家湾（今水稻乡张湾村）

堤防溃决，洪水一泻千里，淹河南、安徽两省 5 府 23 州。开封城内水深丈余，河水围城长达 8 个月，给人民生活造成严重影响。

清咸丰五年（1855 年），黄河在兰考铜瓦厢（今兰考东坝头以西）决口，形成今日河道，黄河距开封城 9 公里。

中华人民共和国成立后，尤其是 1952 年毛主席视察黄河时发出"要把黄河的事情办好"号召后，我国根治黄河水害、开发黄河水利、综合利用黄河水土资源，使这条"害河"变成了"利河"。黄河安澜 70 多年，用它的乳汁哺育着今天的开封。

开封利用"北方水城"的自然和人文资源开发旅游，开发了大宋御河、开封西湖等景观，开封地下"城摞城"奇观也逐步得到开发利用。2017 年 8 月，开封市开始建设包括西干渠和东护城河、南护城河、西护城河、利汴河、惠济河、涧水河在内的"一渠六河"工程，2020 年 5 月全线通清水，6 月 1 日全区域对市民开放。一个美丽和谐的"北方水城"重现世人面前。

二、龙亭

龙亭景区的古建筑，有史可据的可上溯到唐德宗李适在位时（780—805 年）所建的永平军节度使治所——藩镇衙署。之后，五代中的后梁、后晋、后汉、后周相继将其改建为皇宫。北宋时的皇城（包括皇宫）也在此，称为大内。金代后期，亦以此为皇宫。明朝，在此修建了周王府。清顺治十六年（1659 年），在周王府旧址上设立了考试举人的场所贡院。康熙三十一年（1692 年），在原周王府煤山上修建了一座供奉皇帝万岁牌位的万寿亭。于是煤山改为龙亭山，简称"龙亭"。

龙亭景区位于开封市中山路北端。金碧辉煌、雄伟壮观的龙亭大殿面阔 9 间，进深 5 间，象征着皇帝九五之尊的地位。大殿为重檐歇山式建筑，黄琉璃瓦覆顶，殿外飞檐高翘，柱间带有雕花雀替，屋脊上有龙吻走兽，檐角有狮、马、羊、鱼等琉璃瓦件。

龙亭景区主干道两侧为碧波荡漾的潘杨二湖，开封民间流传着很多关于潘杨二湖的传说和民谣，例如："潘杨湖水辨忠奸""杨湖清、潘湖浑，奸贼谋害忠良臣""宁在杨家湖洗面，不在潘家湖洗脚"等。

开封龙亭公园

潘杨湖水辨忠奸

据民间传说，北宋太宗年间，辽国经常兴兵南下侵扰中原，图谋北宋江山，使北宋王朝处于极大的威胁之中。以杨业为首的"杨家将"英勇抗辽，立下赫赫战功，威望日盛。太师潘美嫉贤妒能，怕杨业威胁到自己的地位，一直想害他。一次，辽军南侵，宋太宗派潘美、杨业为主、副帅统率三军北上抗敌。杨业在前线奋力作战，潘美却私下撤回杨业麾下人马。辽国萧太后得知情况后，派精兵猛攻宋军。杨业率军和辽军拼死作战，潘美却不发救兵。最后，部下全部战死，杨业被俘终绝食而死。杨业的夫人佘太君闻噩耗后，告了潘美等人的御状。但是，宋太宗并没有过多追究潘美等人的责任。佘太君气愤之下，带着一家老小回河东老家去了。杨家人走后，狂风暴雨大作，三天三夜不间断。风雨过后，一路之隔的潘、杨两府陷进地里，变成了两个湖泊。杨家湖清澈，潘家湖混浊。

每年金秋十月，龙亭景区是菊花文化节主会场，数千种菊花争奇斗艳，吸引各地游客来此观赏。此外，龙亭景区内以宋宫廷文化为背景打造的《大宋代周》《杯酒释兵权》《朝会盛典》《狸猫换太子》《大宋斗茶》《王安石变法》等数十种大型历史剧目全天候上演，从中可以看到北宋王朝的兴衰，领略帝王风采。

三、天下第一塔——铁塔

北宋王朝是开封历史上和中国封建史上最为辉煌的时代，经济发达，文化繁荣，社会生活安定。然而，随着后来的战乱和黄河水患，开封无数的建筑都湮没在历史的尘埃中了。但是，有一座宋代建筑历经各种劫难，完整地幸存了下来，它就是有"天下第一塔"美誉的铁塔。

据史料记载，开封铁塔的前身是座木塔，这座木塔由当时著名的木工大师喻皓精心设计建造，前后历时 8 年才建成这座 8 角 13 层、高 360 尺的木塔，这就是我国建筑史上有名的开宝寺塔。不幸的是，这座木塔在宋仁宗庆历四年（1044 年）毁于雷火。

宋仁宗皇祐元年（1049 年），宋仁宗下令按原样重建此塔，为了防火，材料由木料改成了铁色琉璃砖。这就是我们今天看到的铁塔。

人们参观这座古塔时，经常会发现一种奇怪的现象，就是这个塔好像是从地里长出来一样。其实，铁塔最下面有高大的石刻须弥座塔基。因为黄河

开封铁塔

多次泛滥，泥沙淤积，导致铁塔的三层基座淹没在地下了，现在地面上能看到的只是塔身。

据《开封府志》记载，当年铁塔塔基周围有八棱水池，水清见底，秀丽的铁塔破水而出，犹如一朵擎天的荷花。池北有拱形小桥，过了小桥从北面进塔，是登塔必由之路，台基南门题有"天下第一塔"的匾额。

铁塔自建成以来，历经多次水患、飓风、暴风雨、地震、炮击等破坏，仍岿然不动，屹立至今。历经千年沧桑的铁塔，是开封八朝古都最好的见证者，也是开封城的地标和精神象征。

四、柳园口

金明昌五年（1194 年），黄河在阳武决口，河道南徙，经开封城北折向东南夺淮入海。此后，黄河变得桀骜不驯，河道南北滚动无常，时而经城北咆哮而过，时而在城南泛滥成灾。明弘治十二年（1499 年），黄河又在开封附近决口，河道重新迁回城北。此后，开封一段的黄河河道便基本固定下来，今天柳园口段的河道就是明代稳定后的黄河故道。柳园口也从此成为黄河中下游的一处重要渡口，它南倚开封古城，北连豫北和冀鲁平原，是开封北面的门户和中原地区南北交通的要冲。

柳园口

关于柳园口名称的来历，有一个传说：很早以前，这里出了一个叫柳园的姑娘，长得美艳绝伦，被皇帝选秀选中，由此渡河进京。柳园思念家乡和亲人，坐在船上看着渐渐远去的村庄，不禁失声痛哭。柳园的哭声凄切哀婉，感动了黄河，黄河掀起了滔天巨浪，打翻了龙船，把柳园接走做了水神，守护在家乡旁边。以后，人们便把这里叫作"柳园口"了。

柳园口镇河铁犀

在柳园口境内黄河南岸，立着一尊镇河铁犀。这尊镇河铁犀其实是个"克隆"铁犀。真的镇河铁犀如今保存在开封市龙亭区北郊乡的铁牛村，是明朝政治家于谦在开封治河时所铸。明代，黄河频频侵扰开封。在于谦任职河南、山西巡抚的十几年中，黄河大的溃决就有两次，冲毁农田、损毁民房、淹死人畜无数。于谦任河南巡抚时，对黄河决堤的危害有深刻的认识，他多次视察黄河，采取了一系列措施治理黄河，在黄河治理史上留下了光辉的一页。于谦多次下令对黄河大堤修葺、加固加高，并在黄河滩区广植柳树固沙。为了加固开封城垣，于谦还主持修建了开封护城大堤。为了永镇黄河泛滥，明正统十一年（1446年），于谦令人铸造了一尊镇河铁犀，并亲自撰写了《镇河铁犀铭》刻在犀背，将其安放在黄河南岸新建成的回龙庙中。后来，安放镇河铁犀的铁牛村经历了两次洪水，回龙庙被大水夷为平地，但镇河铁犀

于谦治河纪念亭

始终没有被冲走。在黄河岸边坚守了 500 多年的镇河铁犀，见证了黄河水患，同时也承载着开封人民对美好生活的向往。

从开封水稻乡马头村往东到柳园口乡小马圈村，有一段全长 15 里的河堤。开封人民为感念民族英雄林则徐筑堤救城之功，称这段河堤为林公堤。

开封受水灾后，道光皇帝降旨命林则徐从充军伊犁途中折向开封赎罪。林则徐接到圣旨后，星夜兼程赶往开封。当他到达开封时，开封已被水淹两个多月，民房倒塌无数，城内居民纷纷登上城楼、城墙等高处躲避水灾。林则徐立即上黄河大堤察看决口情况和水情，根据实情制订堵口方案，并于当年农历九月初七正式动工修河堤。林则徐带领军民先从被冲开的河床高滩处开挖挑河，堵住急流，不让急流冲向大堤口门；然后在决口左边、中间、右边修建三道大坝，向中间围堵。这时的林则徐已年近花甲，且体弱多病，但他事必躬亲，日夜在大堤工地上操劳。尤为令人感动和敬佩的是，他还和民工一起参加治水、修堤，大大鼓舞了堵口复堤军民的士气，加快了堵口工程的进度。经过 5 个多月的苦战，动用数万人力，大堤于第二年农历二月初八在今柳园口 39 号坝至 41 号坝上堵口合龙，黄河回归故道，被水围困 8 个月的开封城得救。

1952 年 10 月底，毛泽东主席和罗瑞卿、杨尚昆等由徐州到达兰封（今兰考）。在河南省委第一书记张玺、省长吴芝圃、省军区司令员陈再道、黄河水利委员会主任王化云等人的陪同下，先后到兰封许贡庄、东坝头和开封柳园口等地视察黄河。10 月 30 日下午，毛泽东主席一行人来到开封柳园口黄河大堤。毛泽东主席站在黄河大堤上向北面眺望，黄河在高高的河道里奔流不息；回头南望黄河

柳园口林则徐雕像

大堤外的村庄，好像坐落在洼地里。毛泽东主席问："这里的河面比开封城里高不高？"王化云主任回答道："这里水面比开封城地面高三四米，洪水时更高。"毛泽东主席深有感触地说："这就是悬河啊！"并嘱咐，要把大堤、大坝切实修好，修牢固。发大水时，有危险，党政军民要一齐上，万万不能出事。

当天晚上，毛泽东主席在同河南省委负责人就河南工作和治理黄河问题交换意见时，强调"要把黄河的事情办好"。这是毛泽东主席第一次提出关于治理黄河的伟大号召。

10月31日清晨，毛泽东主席乘专列前往郑州，行前，他对河南省委、河南省军区、黄河水利委员会负责人再次强调，"要把黄河的事情办好"。

"要把黄河的事情办好"这一号召，不仅展现了毛泽东主席作为一个伟人治理黄河的气魄，而且展现了他作为人民领袖热爱人民的赤子情怀。这句话后来广泛流传，成为动员和激励几代人治理黄河的响亮口号。

第五章

流淌着的黄河记忆

临黄河而知中国，鉴往事而知来者。黄河，是一条源远流长、波澜壮阔的自然之河，更是一条历史悠久、独具魅力的人文之河。从历史文化遗址到珍贵古文物，从治黄故事到非物质文化遗产，黄河孕育了丰富的民间文化，流淌着独特的人文精神，彰显了中国人利用自然、改造自然的生存智慧，蕴含了中国人开拓进取、百折不挠的民族精神。

第一节　寻觅黄河岸边的瑰宝

大河息壤，黄河在中华大地上绘出一幅幅独具魅力的历史人文画卷。在漫长的岁月中，黄河之水润泽出了一方又一方沃土、一处又一处文化高地，水利河工、文物遗产分布广泛。第三次全国文物普查数据显示，黄河流域共有不可移动文物约12.4万处，世界文化遗产12处，全国重点文物保护单位2119处，国保单位分布密度约为全国平均密度的2.6倍。这些丰富的文化遗产不仅见证了黄河流域源远流长的历史，还承载了气象万千的文化积淀。

一、宁夏引黄古灌区：黄河流域干流上第一处世界灌溉工程遗产

2017年10月，宁夏引黄古灌区正式列入世界灌溉工程遗产名录，标志着我国黄河干流上产生了第一处世界灌溉工程遗产，实现了世界遗产"零的突破"，为我国生态文明增添了一例人水和谐的生动注脚。

宁夏引黄古灌区位于黄河上游前套，肇始于秦汉时期的屯垦开发，兴盛于魏、唐、元、明、清各个朝代，2200余年绵延不断，千秋流淌，润泽至今。引黄灌溉推动了宁夏平原由游牧文明向农耕文明的转变和不同文化的融合发展，长期成为区域社会经济发展和绿洲生态环境稳定的基础，对我国西北政治经济稳定具有重要战略意义。

遍布宁夏引黄古灌区的古渠系历经各个时期的开凿延伸，形成了完善的无坝引水、激河浚渠、埽工护岸等独特的工程技术，工程在长期的持续运行中衍生了丰富的灌溉文化，具有深厚的历史底蕴和文化内涵。在古渠系开发建设过程中涌现出了秦代的蒙恬，西汉的汉武帝，东汉的虞诩、郭璜，北魏

宁夏引黄古灌区

的刁雍，唐代的李听、郭子仪，元代的郭守敬、张文谦、董文用，明代的汪文辉、张九德，清代的王全臣、通智、钮廷彩，民国的李翰源等彪炳史册的治水人物，他们的治水业绩为世代称颂。水利文化遗产丰富璀璨，涉及古灌区的诗词歌赋 200 余篇，水利碑记 30 余篇，水利文物、器具、实物 500 余件。

如今，宁夏引黄古灌区还在正常运行，其中蕴含的因地制宜、因势利导的治水理念为现代水利的技术和管理提供了历史借鉴，是黄河流域灿烂文化和先民非凡创造力的集中体现。

二、黄河故道：那些曾经的大河岁月

"河水一石，其泥六斗"，黄河是世界闻名的多泥沙河流，善淤、善决、善徙，在塑造华北大平原的同时，也给两岸人民带来了深重的灾难。自西汉以来，黄河下游有记载的决口有 1000 余次，还有多次大改道。北到天津，南至江淮约 25 万平方公里的广大地区，均有黄河泛滥的痕迹。

南宋建炎二年（1128 年），为防御金兵南下，东京守将杜充在滑县西南人为决开黄河堤防，造成黄河改道。直至清咸丰五年（1855年），河决今河南兰考境内铜瓦厢，改道东流，至1875年形成今道。此后至中华人民共和国成立前70余年间，又曾发生数十次决口，皆不久即塞。只有1938年国民党军队扒开郑州花园口大堤，河水乱颍、涡入淮，形成"黄泛区"，经历了9年之久的改道，至1947年才恢复故道。

挟带着滚滚泥沙的黄河，在豫、冀、鲁、皖、苏大地上留下了复杂的故道体系。黄河故道分布很广，现行河道南北都有大量遗迹遗存。有禹河故道、两汉故道、宋代故道等。明清黄河故道西起河南省开封市兰考县，东至江苏省滨海县，全长700多公里，贯穿4省8市。明、清王朝政府和黄河故道沿线民众，与桀骜不驯的黄河进行了不屈不挠的斗争，形成了一条积淀深厚的历史文化长廊，记载着黄河故道两岸悲壮的历史和璀璨的文明。两岸遗留下来的历史文物和遗产，在历史的长河中，不曾褪色。

潘季驯雕像

明朝著名的治河专家潘季驯，一生曾四次奉命总督治河，他主持修筑了黄河两岸堤防，建成了遥堤、缕堤、格堤、月堤等完整的洪水防御体系。绵延千里的故堤，至今仍有不少依然巍然屹立，这条"古老的水上长城"，是人类与大自然顽强斗争的见证，展现出我国劳动人民的伟大智慧和勇气。

三、文化瑰宝嘉应观

位于河南省焦作市武陟县的嘉应观，是一个具有黄河故宫、皇家道观之称的全国重点文物保护单位。嘉应观始建于清雍正二年（1724年），是清朝雍正皇帝为纪念在武陟修坝堵口、祭祀河神、封赏治河功臣而建造的，是集宫、庙、衙署于一体的淮黄诸河龙王庙。其历史文化内涵十分丰富，是黄河

嘉应观景区

文化的代表之一。

《武陟县志》记载："嘉应观在二铺营东，雍正初年，以黄沁安澜，奉敕建。规模壮丽，有铜碑刻。"嘉，美好祥瑞之意；应，天意报应。"嘉应"二字反映着人们对黄河安流的向往。

嘉应观标志性建筑——御碑亭，亭内是雍正皇帝亲自撰写的铜碑，为镇观之宝。碑文内容是对当年黄河决口的详细记载，被碑压在身下的则是"河蛟"，意在镇恶。河蛟与水井河道相通，而河蛟头上有一个小洞口，相传往里投铜钱，根据水声的大小，可以准确地预测黄河水位的情况。

一座嘉应观，半部治黄史。嘉应观并不仅仅是祭祀河神的庙宇，还记载了流传千古的治水功勋，是一座记录治黄历史的丰碑。这里有为大禹，西汉的贾让，东汉的王景，南宋的谢绪，元朝的贾鲁，明朝的黄守才、白英、潘季驯、宋礼、刘天和，清朝的朱之锡、齐苏勒、稽曾筠、栗毓美、林则徐等治河元勋雕塑的真人大小的蜡像，分别安置在禹王阁、中大殿和东西大殿内，享受御祭，供人们瞻仰。

大禹治水，促进了国家制度的形成，为夏商周文明奠定了基础。西汉贾让的《治河三策》是中国最早对黄河下游兴利除害的治河文献，后来被东汉时期的王景应用于治理黄河的实践中，自此有了黄河800年安流。元代贾鲁以自己的超人智慧、胆略、卓识，治服了黄河，遗恩后世。人们为了纪念贾鲁的治河伟绩，山东、河南均有一条河命名为贾鲁河。明代潘季驯"束水攻沙"的理念，对后世治黄思想和实践产生了深远的影响。清代朱之锡治河近十载，筑堤疏渠，最终积劳成疾，著有《河防疏略》一书，共20卷。清代栗毓美"以砖代埽"的筑坝护堤工程措施，为我国古代水利工程技术的发展作出了重要的贡献。

历尽沧桑的嘉应观，可谓是一座治理黄河的博物馆，是黄河文化的瑰宝。

四、黄河碑刻：会说话的石头

从古至今，黄河流域的中华儿女在治理黄河的历史中，不断总结经验，并将其记录在各种器物、碑刻上以传后世，留下了数量繁多的治黄摩崖碑刻。这些摩崖碑刻记载了黄河不同时期的洪水、灾异以及防洪、灌溉、水利工程、航运、水政管理等情况，还反映了先民们在认识黄河过程中形成的治河思想，是一部丰富鲜活的"黄河石头书"，具有极高的学术价值、史料价值和审美价值。它们见证了黄河的历史，为人们认识黄河提供了可靠的资料，为治理和开发黄河提供了借鉴。

明嘉靖十四年（1535 年），都察院右都御史总理河道刘天和刻制了《黄河图说碑》，该碑详尽地描绘了黄河以及运河、沁河、卫河、汶河的河道，标明了黄河故道、堤防、决溢、黄运交汇等地理位置，同时还刊刻了刘天和撰写的《黄河凡五入运》《古今治黄要略》《治黄意见》三篇文章，较全面地反映了刘天和的治河思想，是研究明朝嘉靖年间黄河历史极有价值的史料。

清咸丰五年（1855 年），黄河在铜瓦厢决口改道，肆意泛滥长达 20 年之久，泛区人民培筑民埝以御水。清同治十二年（1873 年），河决东明县岳新庄、石庄户民埝，山东、江苏、安徽数百里为灾，夺运流入黄海。清光绪元年（1875 年），山东巡抚丁宝桢费帑银 54 万余两，修筑了幛东堤防御洪水，工程完工后，丁宝桢撰文《新筑幛东堤记》刊刻立石。碑文中写道："工惟其坚，用惟其省。"工程不但坚固，还要做到节省。在工程中，丁宝桢还做到了"工用物料有稽"，说明是经过审计、检验的，可见丁宝桢立碑并非炫耀，而是要向朝廷、向百姓交一笔明白账。

清光绪十三年（1887 年）八月，黄河在郑州下汛十堡（花园口乡石桥村）

决口，清廷命河东河道总督吴大澂接办堵口工程，终于在清光绪十四年（1888年）十二月成功合龙。合龙成功，使得黄河北东流成为惯常，黄河南流成为历史。这次堵口工程规模宏大，花费巨大，占当时清廷年收入的四分之一，史称"郑州大工"。

合龙后，吴大澂亲笔撰写立碑以示纪念。郑工合龙处碑现存于黄河博物馆，是清代黄河最大一次堵口工程的历史见证，该碑属国家一级文物，具有很高的历史、艺术和科学价值，被誉为"黄河上的三绝碑"。

> **见证黄河堵口工程的郑工合龙处碑**
>
> 郑工合龙处碑碑身阳面正中阴刻篆书"郑工合龙处"。碑身阴面为满幅篆书文字，碑文为：
>
> 郑工堵筑决口，经始于光绪十三年十二月二十日，讫光绪十四年十二月十九日竣工。钦差督办礼部尚书高阳李鸿藻、前署河东河道总督义州李鹤年、前河东河道总督觉罗成孚、河南巡抚望江倪文蔚、今河东河道总督吴县吴大澂勒石纪之。而系以铭，曰：兵夫力作劳苦久，费帑千万堵兹口。国家之福，河神之佑，臣何力之有？

还有众多的黄河碑刻无法一一赘述，一篇篇的碑文淋漓尽致地展现了当时当地黄河的肆虐和黄河儿女自强不息、百折不挠的精神气概。这些黄河碑刻，既是治黄文献的载体，更是重要的水利遗产，承载着丰富的文化内涵，是黄河流域文化的宝贵财富。

五、穿越历史，寻访千年古渡口

万里黄河，傲然东流去。在古代，黄河就如天堑一般，想要渡河就需要渡船，渡口就这样产生了。黄河两岸，有着许多古渡口，这些古渡口，不仅方便往来出行，还带动了当地社会发展，或成为军事要冲。大河流觞，多少古今事尽在浪花中，时过境迁，那一个个渡口背后的往事依然充满魅力，见证着历史。

1. 扎陵湖渡

在青藏高原，有着"千湖之县"美誉的玛多县是黄河源头第一县。这里水草丰美、河流纵横、湖泊遍布，境内的扎陵湖、鄂陵湖是黄河源头两个最大的高原淡水湖泊。唐贞观十五年（641年），唐朝文成公主远嫁吐蕃，开辟了中国历史上著名的"唐蕃古道"。当年，文成公主和吐蕃王松赞干布相会后过黄河的渡口，就在扎陵湖附近，扎陵湖渡是黄河源头所开辟的第一个古渡口。

2. 蒲津渡

在古代，蒲津渡是黄河上一个著名的渡口，历春秋、战国，经汉唐至元明，是秦晋交通要冲，后因黄河变迁，逐渐被泥沙埋没。20世纪90年代，蒲津渡遗址考古队首次科学发掘完整出土了唐开元十二年（724年）铸造的4尊铁牛、4个铁人和七星铁柱等文物。这4尊巨型铁牛是"天下黄河第一桥"蒲津桥的桥头地锚。金元时期，蒲津桥因战火被毁，但黄河大铁牛却依然完好，堪称奇迹，它们也是唐代国力强盛、冶铁技术高超的象征，昭示着其曾经的辉煌。1991年，联合国副秘书长冀朝铸来到蒲津渡遗址，用中英文题字，中文为"蒲津古渡，重放异彩"。

蒲津渡遗址位于黄河东岸，东与《西厢记》故事发生地普救寺相依，北与全国四大名楼之首的鹳雀楼相望，为全国重点文物保护单位。它展现了我国古代桥梁建造、冶炼铸造技术等各方面的科技成就，也直观地揭示出黄河的变迁过

蒲津渡黄河大铁牛

程，有着极其重要的价值和作用。

3. 风陵渡

"一水分南北，中原气自全。云山连晋壤，烟树入秦川。"金代诗人赵子贞的这首《题风陵渡》，写的就是黄河另一个非常重要的渡口——风陵渡。风陵渡位于蒲津渡的下游，黄河在此由北向东折，拐了一个直角弯东流奔向大海。风陵渡之名的诞生，与传说中5000年前的轩辕黄帝有关。相传轩辕黄帝和蚩尤战于涿鹿之野，蚩尤作大雾，将士们迷失了方向，黄帝大臣风后及时赶来，其所作的指南车为大军指明了方向，遂战胜蚩尤。风后作战时被杀，埋葬于此地，后建有风后陵，久而久之其上的津渡也便命名为风陵渡。

这一处"鸡鸣一声听三省"的渡口，还见证了春秋时期著名的泛舟之役。春秋时期，晋国遭遇大旱，向秦国借粮，秦穆公征发秦粟万斛之巨，泛舟出渭河，经风陵渡，再沿汾河溯流而上直抵晋国都城，史称"秦粟输晋，泛舟之役"。泛舟之役是我国历史上第一次有明确记载的内陆河道水上运输的一个重大事件。

山西芮城，黄河风陵渡拐弯

风陵渡不仅承担着交通运输的功能，还见证了历史上的一幕幕战争。东汉末年，曹操就曾与马超大战风陵渡。

4. 茅津渡

茅津渡地形险要，历史悠久，也是一个极为重要的渡口，与风陵渡、大禹渡并称为黄河三大古渡。北魏郦道元《水经注》说："陕城北对茅城，故名茅亭，茅戎邑也，津亦取名。"此为茅津的由来。后因别于茅津村，人们才习称之为"茅津渡"。

茅津渡

茅津渡的地理位置十分重要。《平陆县志》载："茅津地当水陆要冲，晋豫两省通衢，冠盖之络绎，商旅之辐辏，三晋运盐尤为孔道。"早在春秋

民国老照片：禹门口黄河古渡口

战国时期，渡口就已经形成，是兵家必争之地。

黄河上还有着大量的古渡口遗址，它们如点缀在黄河上的明珠。这些曾经喧腾的渡口见证了繁华，见证了烽火。如果说，黄河是一条巨龙，那么黄河沿岸的古渡口就是龙身上的鳞甲。在过去，正是有了这些渡口，人们才有了跨越大河的可能，黄河也因此有了勃勃生机。现在，随着时代的发展，古渡口繁华落尽，取而代之的是一座座拔地而起的黄河大桥。

第二节 黄河文化的活化石

滔滔黄河，千万里奔流跋涉，千万里波澜壮阔，孕育了精彩绝伦、生机勃勃的非物质文化遗产。黄河流域的非物质文化遗产资源十分丰富，在黄河文化遗产中占有很大的比例，具有较高的文化价值和历史价值。它包括各种类型的传统口头文学以及作为其载体的语言，如传统美术、书法、音乐、舞蹈、戏剧、曲艺和杂技，传统技艺、医药和历法，传统礼仪、节庆民俗礼仪，等等。

据了解，在目前1372项国家级非物质文化遗产代表性项目中，黄河流域9省（区）有919项，涵盖我国非物质文化遗产的十大门类。这些国家级非物质文化遗产项目和流域内大量的省、市、县级非物质文化遗产项目，共同构成了黄河非物质文化遗产的宝库，是黄河精神的最好见证。

黄河流域的非物质文化遗产具有历史悠久、内涵丰富、极具特色、地域分明等特点，充分展现了劳动人民充沛的创造力，是黄河文化的核心组成部分，也是传承黄河文明、延续历史文脉的重要载体。它充分展现了黄河流域人民不畏艰难、百折不挠、勇敢拼搏的精神气质。

一、催人奋进的黄河力量

《宋史·河渠志》记载："凡用丁夫数百或千人，杂唱齐挽，积置于卑薄之处，谓之埽岸。"里面提到的"杂唱"就是号子，是人们在参与需要相互协作的集体劳动时，为了统一劳动节奏、协调劳动动作、调节劳动情绪而唱的一种民歌。号子产生于劳动，又服务于劳动，既是劳动的工具，又是劳动的颂歌。声腔洪亮、节奏铿锵的黄河号子，就是其中的瑰宝，是国家级非物质文化遗产。

黄河号子的历史十分悠久。自古以来，黄河先民在与洪水抗争的过程中，为了更好地协作，形成了一种有节奏、有规律、有起伏的声音，在"嗨哟嗨哟"声中，黄河号子诞生了。

经过长期的即兴创作和世代口传心授，黄河号子逐渐形成和发展起来。黄河号子是在紧张而忙碌的劳动背景下喊唱的号子，其题材广泛，随编随喊，或缓慢，或快速，或激昂，或抑扬，没有任何伴奏，却能起到鼓舞士气、震撼人心的效果，使气氛达到高潮。因为工种不同，所以黄河号子的类别也有很多，如抢险号子、夯硪号子、船工号子等，不同的地区有着不同的流派，异彩纷呈，争奇斗艳。黄河号子多以呐喊和吆喝的方式来演唱，朗朗上口、雄浑有力。

黄河号子是我国人民在劳动中创造的最古老最原始的民间艺术之一。有的号子抒发了劳动者的情感，有的号子唱出了历史传说故事，有的号子反映了地理环境或民俗风情，黄河号子是黄河流域悠久历史文化的深厚积淀。

黄河号子

黄河号子是黄河的魂，不管如何艰难，号子总是充满希望，给人力量。它是黄河战歌，见证了沿黄民众的治黄智慧，闪耀着黄河儿女坚韧不拔、不畏艰难、同舟共济的精神风貌。

除了黄河号子，还有各地民歌、唢呐艺术、"花儿"、古琴艺术、秦腔、豫剧、山东梆子等多种艺术形式，伴着黄河滚滚涛声，不知陪伴了多少代人。

二、"舞"出来的黄河情

秧歌，是我国民间喜闻乐见的民间文艺歌舞形式，已有千年历史，是我国第一批进入国家级非物质文化遗产名录的项目之一。在黄河流域民间传统舞蹈中，秧歌数量最大、形式最多、流传最广。

陕北属于黄河中上游地区。对于陕北人来说，秧歌是春节必不可少的一道文化大餐。在那锣鼓喧天的喜庆气氛里，人们踏着锣鼓点，扭着秧歌步，载歌载舞闹新春。陕北秧歌历史悠久，源远流长，内容丰富，是秧歌代表性流派之一，又叫"闹秧歌""闹社火""闹红火"。陕北秧歌的舞蹈粗犷有力，热情奔放，队形千变万化，步伐轻盈欢快，演唱极具高原音调特色，其中所蕴含的音乐、舞蹈、唱腔等都代表着我国民族传统文化的精髓。

陕北秧歌

20 世纪 40 年代，延安和陕甘宁边区兴起新秧歌运动，艺术家们创新秧歌和腰鼓等民间艺术形式，使安塞腰鼓这一古老的民间艺术得到了发展。安塞腰鼓起着鼓舞斗志、庆祝胜利的作用，也被誉为"胜利腰鼓"，遍及中华大地，深受民众欢迎，成为人们情感生活中的重要组成部分。

据有关资料记载，远古时代黄河流域各部落的男性，常用一中空之树杆包以羊皮，携于腰间，击之用来驱赶野兽。以后各代多用于报警、传递信息和鼓舞士气。

根植于黄土地的安塞腰鼓，从远古的军事战场到现在的新时代，已由军事用途发展成为祝愿丰收、欢度春节的一种民俗舞蹈。但是腰鼓刚劲饱满的虎劲却贯穿始终，在黄土高原上驰骋纵横，如滔滔大河般势不可当。每一声鼓声都气势磅礴，当鼓槌落下的那一瞬间，空气仿佛炸裂。人们用铿锵有力的腰鼓，打出自强不息的精气神，打出勇往直前的坚定意志。

"转九曲"，又称"九曲黄河阵"。黄河阵阵法最早来源于古代兵法阵列，"转九曲"时，鼓乐齐鸣，灯光闪烁，秧歌队在前引导，众人随后，队伍浩浩荡荡、曲折向前，好一派热闹非凡的景象。新时代的黄河儿女秉烛夜游，他们坚信明天更加灿烂光明。

东风吹，战鼓擂。不仅是在陕北，在甘肃的黄河之滨，也有那激昂澎湃的战鼓声，回荡在雄伟长城与奔腾大河之间，那是兰州太平鼓。太平鼓是人类最早发明的乐器之一。兰州市永登县乐山坪出土的彩陶鼓，史学界称它为鼓的"鼻祖"。它与太平鼓的外形极为相似，两者之间可能存在某种历史的渊源。太平鼓独具特色，鼓身硕大，以圆柱体为主，不用鼓槌，而用鼓鞭擂击，人舞鼓，鼓带人，人鼓合一。太平鼓的鼓点节奏感强，铿锵有力，充分显现了黄河之滨人民的英雄气概和民族生命的盎然生机。

古老的黄河，蜿蜒流淌，静静地欣赏着两岸儿女的欢歌笑语。陕北秧歌、安塞腰鼓、兰州太平鼓等这些国家级非物质文化遗产，正是黄河儿女精神风貌的象征和文化的符号，是黄河流域历史文化与舞蹈艺术的一种激荡，其艺术生命绵延不断，久盛不衰。人民质朴、憨厚、乐观的性格，透过这一传统的民间活动，展现得淋漓尽致。千百年来，不管时代如何变迁，这种乐观向上、奋力拼搏的精神始终如一。

三、传统技艺承载的那段岁月

黄河流域内传统技艺类非物质文化遗产也是黄河文化的重要组成部分。兰州黄河大水车制作技艺、羊皮筏子制作技艺、澄城尧头陶瓷烧制技艺、澄城刺绣……让我们一起从古老的技艺中，感受黄河非物质文化遗产的魅力。

1. 黄河大水车：转动的诗意风景

黄河水自西向东穿过兰州城。以前，由于水低岸高，人们只能望河兴叹，无法引水灌溉，饱受干旱之苦。直到明朝嘉靖年间（1522—1566年），一位叫段续的兰州人研制出了黄河大水车。段续在出任云南道御史期间，发现当地用木制龙骨筒车提水灌溉，于是就派人将此绘成图样，保存在身边。晚年辞官后，他回到兰州，终于研制成功了兰州历史上的第一轮水车，人称"祖宗车"。"续里居时，创翻车，倒挽河流，以灌田，致有巧思。船河农民皆仿效焉"。之后，黄河两岸百姓争相仿效建造大水车，慢慢地水车越来越多，成了黄河沿岸壮丽的景观。

"轮转黄河水，吟唱大河风"，一轮水车大概可灌溉农田七八百亩，黄河大水车的广泛使用促进了沿河农业生产的发展，丰富了人们的物质生活。

与江南水车所不同的是，黄河大水车的特点是大，这与黄河水比岸低的自然地势有关。一般的水车直径10多米，大的20多米，其临河建造，利用河水流动的冲击力，水流推动刮板，带动有水斗的水车轮转动，从而将河水从低处提升到高处，当升至水车轮正上方时，斗口向下，河水流入木槽，导入水渠。整个提水过程不需要任何能源动力，堪称古代的"自来水工程"，高效且花费低廉，独特奇绝。轮辐中心是合抱粗的轮轴，轮轴周边装有两排并行的辐条，每排辐条的尽头装有一块刮板，刮板之间挂有可以活动的长方形水斗。水车制作遵循古老技艺，整个大水车由木卯细细拼接而成，如果哪一部分损坏，拆下更换即可，十分方便。

兰州水车园

在相当长的历史时期内，黄河大水车一直出色地担当着兰州黄河沿岸唯一的提灌工具。黄河两岸，水车声隆隆，日夜不息，不停转动，成了兰州人民心中抹不去的水车记忆。20世纪四五十年代，黄河大水车达到了全盛时期，黄河两岸水车林立，总提灌面积大大增加，兰州也被称为"水车之城"。后来，电力灌溉技术普遍应用，黄河大水车被现代水利工具所取代，逐渐退出历史舞台。

兰州黄河大水车构造独特，制作技艺精湛、巧夺天工，改变了两岸民众靠天吃饭的局面，对人们安居乐业和社会稳定发展起到了不可估量的作用。自创制以来，水车一直气宇轩昂地矗立在黄河岸边，注视着滚滚而去的黄河水。它是古代农耕文明的体现，见证了人类认识、利用自然的伟大创举，水车不仅是灌溉农田的工具，它的存在本身也是一种诗意的风景。

"水车旋转自轮回，倒雪翻银九曲隈。始信青莲诗句巧，黄河之水天上来。"清道光年间诗人叶礼这样描写黄河大水车。2006年，兰州黄河大水车制作技艺被列入第一批国家级非物质文化遗产名录。在兰州黄河大水车制作技艺国家级传承人段怡村看来，从家乡兰州穿城而过的黄河，就像陪伴自己的一位慈祥的长者，让他有信心把水车制作技艺代代传承下去，让水车承载的黄河精神激励每一个人。

2. 羊皮筏子：流动的黄河记忆

"羊皮筏子也作舟，一桨黄沙任我游。"羊皮筏子，曾是黄河中上游重要的水上交通工具，用来运输人员和物资。羊皮筏子紧贴水面顺流而下，有"下水人乘筏，上水筏乘人"之称，在黄河上劈波斩浪、激流勇进，是黄河上特有的一道风景线。

"九曲黄河十八弯，筏子起身闯河关。"千百年间，有关羊皮筏子与黄

1909 年左右的兰州羊皮筏子（资料图片）

基本成型的筏子（资料图片）

摆渡时，羊皮筏子基本上是顺流而下，用力划向对岸，返回时则是筏子客将
筏扛于肩头，步行至上游处，再顺流回来（图片来源：《中国国家地理》）

河的故事连绵不断。羊皮筏子自清朝光绪年间兴起，距今已经有 300 多年的
历史，它承载了几十代人劳动、生活和交通运输的历史使命。在抗战时期，
羊皮筏子有着"羊皮筏子赛军舰"的美称，上演了一幕幕精彩故事。一方水
土养一方人，黄河水培养了"筏子客"（划羊皮筏子的水手）乐观、勇敢、
不畏艰险的性格。

　　羊皮筏子制作技艺是古代先民智慧的结晶，其造型独特美观，承载了两
岸人民的文化记忆，具有极高的艺术价值和文化价值。如今，由于旅游业的
兴起，不少探奇的游客前来乘筏，这项古老的手工艺也得到了传承。如同黄
河大水车一样，羊皮筏子已深深根植于两岸人民的血脉之中，有着难以割舍
的情感。"纵一苇之所如，凌万顷之茫然"，如有机会，可以体验一下羊皮
筏子，在黄河上随波逐流，欣赏黄河两岸画卷般的风景。

　　3. 指尖上的非物质文化遗产传承

　　在陕西关中平原东北部有一个澄城县，其历史文化十分悠久，是黄河流
域最古老的县之一。这里土厚水淳，风和俗美，各种民间艺术丰富多彩，历
经了千百年的历史传承。

　　在澄城，有一处赫赫有名的历史陶瓷遗址，那就是尧头窑遗址。尧头窑
遗址是历代民间陶瓷文化遗存的重要地方。尧头窑是黄河流域著名的民间瓷
窑，有着千余年烧制陶瓷的历史，展示了从唐朝到现代制瓷历史的变迁，是

我国目前发现的保存最完整的原生态古窑址遗址群，被称为"中国现存最大的天然民窑博物馆"。那一座座古窑，正向人们展示着澄城这个地方的悠久历史。

澄城以出产陶瓷而闻名。尧头陶瓷，始于唐代，兴于宋元，于明清时期达到鼎盛。尧头陶瓷品种丰富，造型浑朴大方，无论是在造型方面还是在纹饰方面，都继承了我国原始彩陶、汉魏陶塑、唐代三彩的艺术传统。硕大的器型显示了中华民族气吞山河、自强不息的民族气节，那种黑底刻花的艺术表现手法和美学价值，充分体现出黄河流域原生态的民族风俗和丰富的文化内涵，被誉为"黄河之精，华夏之灵""中国原生态陶瓷的活化石"。

澄城刺绣，和澄城尧头窑陶瓷烧制技艺一样历史悠久、璀璨夺目，2008年入选第二批国家级非物质文化遗产代表性项目名录。

澄城刺绣是我国优秀的民间刺绣艺术，其构图饱满、色彩鲜艳，充满地域特色，蕴含着丰富的民俗文化内涵。澄城刺绣绣品种类繁多，有被面、绣鞋、荷包、围肚、童帽、桌布等，多为生活用品，观赏性与实用性相统一，

尧头窑遗址瓮窑烧造区掠影

澄城刺绣作品

这也是刺绣一直保持着鲜活的生命力的原因，它始于现实生活，影响着人们生活的方方面面。受传统文化与生活理念的影响，澄城刺绣的主要表现题材多为子孙繁衍、祈福等，体现了人民对生命的讴歌和对美好生活的期望，体现了人们最朴实的情感。这些人文精神都通过刺绣图饰表现得淋漓尽致，朴素的生活哲理和先民的智慧陶冶着人们的情操，鼓舞着奋进的人们，是黄河流域珍贵的民族艺术遗产。

四、非物质文化遗产新生的时代价值

大河上下，生生不息。在黄河流域，还有诸如唐三彩烧制技艺、汝瓷烧制技艺、汴绣、洛阳宫灯、澄泥砚制作技艺、朱仙镇木版年画等国家级非物质文化遗产，它们都具有鲜明的地方特色，蕴含着优秀传统文化的精髓，具有黄河文化的独特价值。这些传统的技艺被世代传承、发扬光大，它们是黄河文化之魂，在与时俱进中绽放出新的华彩，焕发出新的生命力，并对黄河文明的薪火传承发挥了重要的作用。

穿越千年的釉彩之光

唐三彩烧制技艺是国家级非物质文化遗产之一，流行于唐代，久负盛名，是我国传统艺术精华。唐三彩不仅造型美，而且色彩美、装饰美，釉色以黄、绿、白三种颜色为主，"异色兮纵横，奇光兮灿烂"，融会了异域文化，展现了雄浑的盛唐文化，形象地记录了中华民族高超的智慧和灿烂的文明。

生生不息的黄河非物质文化遗产，百折不挠的黄河精神。在黄河两岸，还有众多的黄河非物质文化遗产传承人正在不断汲取着黄河的养分，默默地守护古老的文化，不断创造出新的时代价值。黄河非物质文化遗产承载着中华民族的共同记忆，是维系民族情感的纽带与桥梁。黄河儿女在黄河边世世代代生活，与黄河、黄土结下了深厚的情感，形成了独特、鲜活的黄河民俗文化。它们是黄河文化的"活化石"，是传承着的文化财富，它们所体现出的历史文化价值、精神价值、社会价值、艺术价值和经济价值，正是我们中华民族文化自信的基石，是中华民族自强不息品格的重要载体。

唐三彩胡人骑马俑

　　黄河非物质文化遗产中所包含的天人合一、人与自然和谐相处的理念，对黄河流域生态保护和高质量发展仍有启迪意义。

第三节　不朽的诗词经典

生生不息的黄河水，不断激发着文人墨客的灵感。文明的种子播撒在了黄河流域这片沃土上。古往今来，描写黄河的诗词名篇浩如烟海，伴随着这条文脉之河汩汩流淌，千古流传，形成了一幅波澜壮阔的黄河文化画卷。那些不朽的诗词经典，一字一句无不潜藏着黄河文化的密码，是人类文明宝库中的精华，至今仍然洋溢着强烈的文化韵味和艺术魅力，值得我们品读欣赏。

一、先秦时期的黄河影像

先秦诗歌是中国传统诗歌的源头，其中《诗经》是先秦诗歌的典范。

作为我国第一部诗歌总集，《诗经》收集了从西周初年到春秋中叶的诗歌作品305篇，因其丰富的文化内容和艺术魅力，在中国文学史上有着崇高的地位和深远的影响，是中华民族瑰丽灿烂的文学宝典。《诗经》中，写黄河的作品有10多篇，若算上支流则更多，其生动展现了黄河的多情与慷慨、宽广与博大，让我们得以了解那时母亲河的容貌。当时，"河"指的就是黄河，先民朴实的吟唱把我们带到那个自然纯朴的世界，使我们感受大河风情，走近黄河流域先民的生活情景。

《周南·关雎》是《诗经》的首篇，第一句"关关雎鸠，在河之洲……"就提到了黄河，这首诗写的是一个"君子"对"淑女"的追求。《周南·关雎》里的黄河，给人一种优雅、恬静的美。在诗中，成双成对的雎鸠栖息在河中的小洲，淑女在河边采集左右漂流的"荇菜"，诗人笔下的这条大河显得如此灵动。这首诗生动地写出了黄河边的一场美丽邂逅，诗中有画，画中有诗，反映出人们对生活的热爱，展现了河流两岸的人文风情。

《卫风·硕人》是一首赞美卫庄公夫人庄姜的诗歌。诗中写道"河水洋洋，北流活活。施罛濊濊，鱣鲔发发。葭菼揭揭，庶姜孽孽，庶士有朅"，记载了浩浩汤汤的黄河北流入海的史实，绘声绘色地描写了黄河的水势浩大与雄浑壮阔。岸边青苍的芦苇、茂盛的荻草、捕鱼人与河中的鱼儿、河边盛大喜庆的婚嫁场面向我们再现了黄河的风土人情。

"谁谓河广？一苇杭之。谁谓宋远？跂予望之。谁谓河广？曾不容刀。谁谓宋远？曾不崇朝。"这首《卫风·河广》吟诵的就是黄河。苇，是芦苇编的筏子。杭，通"航"。刀，通"舠"，指小船。谁说黄河宽又广？一只苇筏可飞航。谁说黄河广又宽？其间难容一小船。客居卫国的宋人，强烈的思乡之情，使得横亘在两国之间宽广的大河好似都变得容易跨越。这奇特的夸张手法，十分具有感染力，我们仿佛可以看见诗人伫立在河边眺望自己故乡的样子，那种欲归不得的哀怨与苦闷引起了读者强烈的感情共鸣。

> 与女游兮九河，冲风起兮横波。乘水车兮荷盖，驾两龙兮骖螭。
> 登昆仑兮四望，心飞扬兮浩荡。日将暮兮怅忘归，惟极浦兮寤怀。
> 鱼鳞屋兮龙堂，紫贝阙兮朱宫。灵何为兮水中，乘白鼋兮逐文鱼，
> 与女游兮河之渚，流澌纷兮将来下。与子交手兮东行，送美人兮南
> 浦。波滔滔兮来迎，鱼邻邻兮媵予。（《九歌·河伯》）

古代先民依河而居，对滔滔河水有一种敬畏的情感，自古以来，就有对河神崇拜的传说。战国时期，我国的伟大诗人屈原就在其作品《九歌·河伯》中写了祭祀河神的祭歌。在我国古代的神话传说里，河伯指的是黄河的水神。诗中的河神威武昂扬，大风起，波浪翻，河神驾着水车遨游黄河，车顶覆盖着荷叶，两龙为驾，声势何其浩大！该诗气势宏伟，令人回味无穷。

黄河一路奔涌而来，生活在河流两岸的先秦人民徘徊在河边，吟唱出了黄河岸边的人文风情，抒发着先民对母亲河的爱恋。诗人发自肺腑的感言、临河而发的感慨，轻轻地洒落在河边，串成璀璨之链。黄河的情怀在诗中凝聚，这些美好的文字铸就黄河文化之魂。

二、汉朝至隋朝时期的黄河诗歌

汉武帝刘彻不但开创了西汉盛世，还是一位杰出的诗人。他亲临黄河堵口现场，写下了著名的《瓠子歌二首》。

瓠子歌二首

其一

瓠子决兮将奈何？浩浩洋洋兮虑殚为河。殚为河兮地不得宁，功无已时兮吾山平。吾山平兮钜野溢，鱼弗郁兮柏冬日。正道驰兮离常流，蛟龙骋兮放远游。归旧川兮神哉沛，不封禅兮安知外。皇谓河公兮何不仁，泛滥不止兮愁吾人。啮桑浮兮淮泗满，久不反兮水维缓。

其二

河汤汤兮激潺湲，北渡回兮迅流难。搴长筊兮湛美玉，河公许兮薪不属。薪不属兮卫人罪，烧萧条兮噫乎何以御水。隤竹林兮楗石菑，宣防塞兮万福来。

第一首诗写的是黄河决口造成的深重的灾难。汉元光三年（公元前132年），黄河下游河床淤积严重，于河南濮阳瓠子处决口，滔滔洪水汹涌直冲淮河、泗水，黄河下游泛滥成灾，"鱼弗郁"形容鱼很多的样子，成群地在田野里游来游去。洪水恣意横流，就好像蛟龙在大地上驰骋，说明洪水给南岸百姓带来的严重灾害。第二首诗则生动地记录了堵口的过程。汉元封二年（公元前109年），面对肆虐的洪水，汉武帝十分担忧百姓，下定决心堵住决口。于是"搴长筊"，用竹片或芦苇编的大索固定土石以堵住缺口；"湛美玉"，举行沉白马玉璧于河的祭祀仪式，表现了其治河的决心。然而因当时正是冬天，缺少薪柴，只得把淇园的竹子砍掉，做成"楗"，打桩、抛石筑坝，终于堵口成功，黄河回归故道，20多年的洪涝灾害终于结束，百姓重获安宁。这两首诗气势磅礴，对黄河水患的惨烈描写入木三分，汉武帝深切感受到堵口工程的艰难，认识到治水对于治国的重大意义。诗歌展现了人民战胜洪水的宏伟力量，也让兴修水利的理念深入人心。西汉司马迁感慨万千，"悲《瓠子》之诗而作《河渠书》"，一部伟大的水利通史诞生了。后来，司马迁在书中写道"自是（指瓠子堵口）之后，用事者争言水利"，可见瓠子堵口这一前所未有的堵口之役对后世产生的重大影响。

孟津是黄河一个古渡口，也称为"盟津"。相传周武王准备灭商之时，800诸侯就在此地设盟，也就是历史上有名的"盟津之誓"。魏文帝曹丕写下的诗篇《孟津》，就是在黄河古渡边所作的一首凯旋诗。"翌日浮黄河，长驱旋邺都"，曹军打了胜仗，在孟津举行盛大的庆功会，明天就要从这里渡过黄河，凯旋邺都。该诗的喜庆之情跃然纸上，写出了孟津的热闹繁华，写出了作者的志得意满。

南北朝时期，战火纷飞，黄河古渡口扮演着重要角色。北齐著名文学家颜之推《从周入齐夜渡砥柱》的诗中有"侠客重艰辛，夜出小平津"，小平津就是黄河古渡口之一。南朝梁代文学家王褒《渡河北》写的是作者遭遇亡国之苦，渡过黄河北上时的苍凉悲伤之情以及对故土的深切思念。

黄河老牛湾

隋朝卢思道《河曲游》中"邺下盛风流，河曲有名游"的河曲指的是山西芮城县风陵渡一带，黄河折而向东流的地方。邺城，是建安文学的发祥地，诗中写的是邺下文学集团的文学盛会，反映了黄河两岸人文荟萃的景象。

三、唐代诗歌中的黄河情

1. 李白诗中的黄河意象

唐代众多描写黄河的诗人中，李白是最为突出的一位。"黄河之水天上来，奔流到海不复回"这句吟诵黄河的不朽佳句，就出自唐代"诗仙"李白的《将进酒》。短短一句诗，诗人豪迈洒脱的气概扑面而来。在李白眼中，黄河源远流长，仿佛从天而降，滚滚东流入大海，一去不复返。诗人在感慨人生短暂、时光如流水的同时豪饮高歌，情感奔放。

这种豪迈之情，还体现在"黄河落天走东海，万里写入胸怀间"（李白《赠裴十四》）。这是一首赠别诗，诗中以奔腾不息的黄河水赞颂友人宽广博大的胸襟，也映照出了诗人自己的气韵与品格。

当桀骜不驯的李白遇上了狂放不羁的黄河，便有了"黄河西来决昆仑，咆哮万里触龙门"这样气势磅礴的诗句。在《公无渡河》中，李白笔下的黄河是凶险猛暴的。在古代，相传黄河是从昆仑山起源的，黄河冲决而下，跌宕起伏，怒吼咆哮着冲击龙门。龙门就是今天的禹门口，这里两岸峭壁，水势凶猛，相传是大禹治水的时候劈山导河形成的。"波滔天，尧咨嗟。大禹理百川，儿啼不窥家"说的是尧帝

黄河禹门口

发愁黄河水患，命大禹治水，大禹三过家门而不入的故事，展现了古代英雄降服肆虐的水害，造福人民的事迹。结尾引用典故，写到白发狂叟不顾阻拦执意渡河，最终被滔天河水吞没的悲剧，意味深远，含而不露。

李白的诗歌极尽想象、夸张，通过对自然景观的描述，抒发自己对祖国大好河山的热爱。在《西岳云台歌送丹丘子》中，"西岳峥嵘何壮哉，黄河如丝天际来。黄河万里触山动，盘涡毂转秦地雷"写的是登上高峻雄伟的华山俯视苍茫大地，黄河犹如一缕丝带从天边萦绕而来。当这条"丝带"流到华山脚下时，又是另一番景象，万里波涛声如巨雷，触天动地翻卷起如车轮般的涡旋，好一个雄浑壮观、惊心动魄的场面。"荣光休气纷五彩，千年一清圣人在。巨灵咆哮擘两山，洪波喷流射东海"，黄河水面笼罩着五彩荣光，雾气蔼蔼，传说中黄河由浊变清，就是预示着圣人即将出现。之后李白运用神话，将河神劈开山峦黄河喷流而过的奇景融入诗中，贯穿古今，使祖国的大好河山更具神奇的色彩。这种描写充分体现出中华民族一往无前、顽强拼搏的意志和开创精神。

"黄河走东溟，　白日落西海"（《古风》其十一）、"我浮黄河去京阙，挂席欲进波连山"（《梁园吟》）、"黄河若不断，白首长相思"（《送王屋山人魏万还王屋》）、"黄河从西来，窈窕入远山"（《游泰山》其三）……李白在其诗歌中多次描写黄河，对黄河有着极深厚的感情。他极尽浪漫与想象，笔墨酣畅，抒情有力，浑然天成，给气象不凡的黄河染上了神奇瑰丽的色彩，不但写出了黄河的气魄，更写出了黄河之魂。无论何时再读起这些诗歌，都会有所震撼，这些千古绝唱，同时也映照出中华民族百折不挠的伟大精神。

2. 诗意大河中的盛唐气象

唐朝诗人王维是一位写景圣手，在《使至塞上》中，描写广阔无垠的塞外风光诗句"大漠孤烟直，长河落日圆"成为千古名句。浩瀚的大漠与竖直的烟柱形成鲜明对比，蜿蜒的黄河与浑圆的红日搭配，如诗如画，又有大河气吞日月的雄浑意境。苍茫大地间，路漫漫河迢迢，唯有那轮圆日抚慰人心。

近代享有国际声誉的著名学者王国维对这句诗有着"千古壮观"的评价，也勾起了无数人对那莽莽大漠的向往。

盛唐时期的著名诗人王之涣，以一首《登鹳雀楼》而名垂青史。我们再来回顾一下这首脍炙人口的名作。"白日依山尽，黄河入海流。欲穷千里目，更上一层楼。"诗人仅用 20 个字，就将万里河山尽收眼下，使其成为登高望远的精品之作。诗歌朗朗上口，代代传诵，鹳雀楼也因此名扬中华。诗人由祖国山河的壮丽景象，引出了站得高看得远的人生哲理，千百年来，激励了一代又一代中华儿女不畏艰险、英勇奋斗。

"九曲黄河万里沙，浪淘风簸自天涯。如今直上银河去，同到牵牛织女家。"这是诗豪刘禹锡组诗《浪淘沙》九首中的第一首。"自天涯"写出了黄河的源远流长。"直上银河"，在古代，相传黄河与银河相连。诗人用夸张的手法写出波涛汹涌的黄河一路裹挟黄沙而来的壮观景象，引入神话故事为全诗增添了奇妙瑰丽的色彩，也体现出诗人不畏艰难、不惧坎坷、勇于逆流而上的气概。

"条山苍，河水黄。浪波沄沄去，松柏在山冈。"韩愈《条山苍》运用强烈的色彩对比，描写了浊浪黄河奔涌在青翠的中条山下的雄浑景象。诗中有画，画中有诗，展现了诗人昂扬向上的精神风貌。

唐朝描写黄河的诗歌大都波澜壮阔、气势宏伟，文化与审美价值皆高，这与唐代强盛的国力、包容开放的文化和辽阔的疆域是分不开的，人们也得以从诗中见证盛唐辉煌。诗人把黄河当作民族精神的象征，毫不吝啬对黄河的赞美，从各个角度写出了黄河的风致与性格，是写景，更是咏志。

四、宋代诗歌中的忧患意识

北宋时期，黄河已经结束了 800 年的安流期，黄河水患频发，决溢、改道时有发生，所以这个时期的黄河诗更加凸显的是诗人对黄河水患及治理的关注，同时也融入了诗人忧国忧民的情怀，反映了沉重的洪水灾难和治河的

艰难历程，相比之前朝代的咏黄诗有了明显的变化。

欧阳修《黄河八韵寄呈圣俞》中"河水激箭险，谁言航苇游。坚冰驰马渡，伏浪卷沙流……"抒发了黄河难驯的感慨。其在《巩县初见黄河》中，以长篇的形式描写了黄河凶猛的性格，追忆大禹治水的丰功伟绩，希望水患能够得到治理，造福百姓。司马光在《谒三门禹祠》中，也歌颂了大禹治水的伟大壮举，希望自己也能效法大禹，诗人忧民之心感人至深。王安石《河势》云："河势浩难测，禹功传所闻。今观一川破，复以二渠分。国论终将塞，民嗟亦已勤。无灾等难必，从众在吾君。"诗人参与治河之策的讨论，体现了诗人强烈的社会责任感。

"活活何人见混茫，昆仑气脉本来黄。"（《黄河》）这是苏轼笔下的黄河。北宋熙宁十年（1077年），黄河在河南澶渊决口，洪水泛滥至彭门城下，也就是今天的徐州市，苏轼亲率民众抗洪救灾，《河复》《登望洪亭》两首诗就是在这样的背景下创作的。历史上，苏轼不但是一位文学巨匠，还是一位对水利有着深刻认识的治水专家。

五、元明清时期的黄河诗咏

1. 咏怀诗

黄河是华夏儿女的情感寄托。诗人们赞颂黄河，歌咏黄河，抒发着自己真挚的感情和独特的感受。

元代马祖常《黄河》写道："尘海东南下，云山西北高。黄流荡中潏，万里费波涛。"诗人仿佛凌空俯瞰这条横贯祖国东西的大河，波涛滚滚入海，意境十分阔达。在《黄河舟中月夜》中，诗人在黄河上泛舟夜游，想象自己好像来到了水天相接的银河上，呈现了夜色下黄河另一种缥缈动人的风光。

《早发黄河即事》是诗人萨都剌途经黄河，在黄河上坐船时看到两岸百姓的生活，有感而发所写的。全诗以对比的手法描写黄河边的景象，一边是富家子弟的骄奢淫逸，一边是农家的凄惨艰辛，抒发了诗人对治河的看法，令人感慨万千。

《山坡羊·潼关怀古》是元曲作家张养浩的作品，他控诉封建统治，同情人民的苦难。"峰峦如聚，波涛如怒，山河表里潼关路。望西都，意踌躇。伤心秦汉经行处，宫阙万间都做了土。兴，百姓苦！亡，百姓苦！"黄河，也是中华民族苦难的见证，诗中充满了历史的沧桑感和时代感。

明代高启曾云"黄河水西来，一折一千里，四折东流归渤海，浑涛浊浪深无底……""我愿河水年年清，圣人在上圣复生，千龄万代常太平"（《黄河水》）。在战乱中，诗人借黄河水抒情咏志，寄托自己河清海晏的美好希望。

"亘地黄河出，开天此一门。千秋凭大禹，万里下昆仑。"（《龙门》）这是清代的顾炎武游龙门有感，赞美大禹治水开凿龙门，才使得从昆仑奔流而来的大河能够穿山而过，万里直泻，也是对上古时期劳动人民的歌颂。魏源的《龙门》也同样歌颂了这一神话故事的主人公，表达了人定胜天的思想。

在黄河流域这片令炎黄子孙魂牵梦萦的故土上，诗人尽情抒发着自己豪迈的性情，带我们领略黄河的不同风采。

2. 沉重的河决歌

黄河的水患灾害一直伴随着中华民族的历史进程，越来越多的诗人关注河患、治水这一主题，作品浩瀚，从元代、明代，特别是清代河患诗的创作有了进一步的拓展，诗中不仅写出了灾情，还揭露了河政的腐败，抒发了诗人对灾民的深切同情、对统治者的怨恨以及根治黄河水患的强烈愿望，体现了黄河诗中的现实主义精神。

元代贡师泰《河决》中"去年黄河决，高陆为平川。今年黄河决，长堤没深渊"，迺贤《新堤谣》中"调夫十万筑新堤，手足血流肌肉裂"，明代何景明《岁晏行》中"徭夫河边行且哭，沙寒水冰冻伤骨。长官叫号吏驰突，府贴连催筑河卒"均描写了黄河决口泛滥后，灾民流离失所、民不聊生的凄惨情景，一曲曲灾民哀歌令人心酸。

清代是黄河水患诗歌的另一个高峰，更加深入地反映了这一重大灾害。如"黄河冲决淮河荡，白马湖中千尺浪"（汪懋麟《河水决》），"神河之水不可测，一夜无端高七尺。奔涛骇浪势若山，长堤顷刻纷纷决"（赵然《河决叹》），"东西纵横不可量，大梁四面水围毕"（韩程愈《黄河水》）等众多诗作，重现一幕幕灾难，同时具有较高的史料价值。

还有的诗词记录了黄河的报汛水卒——张九钺的《羊报行》生动传神地写出了黄河汛兵报讯时的惊心动魄，展现了劳动人民不畏艰险征服黄河水害的英雄气概。

> ### 羊报行
>
> 羊报者，黄河报汛水卒也。河在皋兰城西，有铁索船桥横亘两岸，立铁柱刻痕尺寸以测水。河水高铁痕一寸，则中州水高一丈，例用羊报先传警汛。其法以大羊空其腹密缝之，浸以糇油，令水不透。选卒勇壮者缚羊背，食不饥丸，腰系水签数十，至河南境，缘溜掷之。流如飞，瞬息千里，河卒操急舟于大溜候之，拾签知水尺寸，得预备抢护。至江南，营弁以舟飞邀报卒登岸，解其缚，人尚无恙，赏白金五十两，酒食无算，令乘车从容归，三月始达。余闻而壮之，作羊报行。

描写黄河的古诗词还有很多，这里不再一一列举。跨越了时间与空间，我们在诗词的世界中，感受着千年黄河文明。诗人赋予黄河以精神、以文化，吟诵黄河，书写黄河，塑造和浸润着华夏儿女的精神风貌与品格，传承着生生不息、百折不挠的民族精神。

六、砥砺奋进中的黄河新诗

如诗的黄河，成就了无数吟唱黄河的名篇佳作，千百年来一直被人们所尊崇与敬仰。黄河，不只是大地上一条河，还是一条精神之河，一条英雄之河，关乎着中华民族的历史与命脉，也向我们展示着当今的使命和未来的希望。现当代的诗人们在赞颂黄河时，所体现出的那种百折不挠、坚韧不拔的民族精神，激励着一代代中华儿女奋勇向前。

1. 灾难岁月中的抗争

诗歌与社会的发展相伴相依，1919 年至 1949 年间，涌现出了一批现代黄河白话新诗，与人民同呼吸、共命运，反映出黄河在那段艰难岁月中的忧患、抗争与召唤。此时诗中的黄河已经不局限于其本身，而是升华为中华民族的象征。

"朋友！你到过黄河吗？你渡过黄河吗？你还记得河上的船夫拼着性命和惊涛骇浪搏战的情景吗？"（选自《黄河大合唱》第一部分《黄河船夫曲》）在那硝烟四起的抗日战争中，诗人光未然与抗敌演剧三队在壶口附近东渡黄河，转入吕梁山抗日根据地，黄河那壮美的胜景与汹涌澎湃的气势深深震撼着诗人，一首伟大的诗篇在诗人心中孕育。1939 年，在延安，光未然写下了一组长诗，经冼星海谱曲，文学与音乐完美融合、堪称"民族精神的史诗"的《黄河大合唱》诞生了。

"啊！黄河！你一泻万丈，浩浩荡荡，向南北两岸伸出千万条铁的臂膀。我们民族的伟大精神，将要在你的哺育下发扬滋长！我们祖国的英雄儿女，将要学习你的榜样，像你一样的伟大坚强！"（选自《黄河大合唱》第二部分《黄河颂》）诗人从对黄河的赞颂升华为对祖国的热爱，黄河还是我们伟大的中华民族精神的象征。"但是，中华民族的儿女啊，谁愿像猪羊一般任人宰割？我们要抱定必胜的决心，保卫黄河！保卫华北！保卫全中国！""风在吼。马在叫。黄河在咆哮。黄河在咆哮。"（选自《黄河大合唱》第七部分《保卫黄河》）这是中华民族在最危险的时候发出的怒吼，在那段与黑暗抗争的岁月中，诗歌强烈的感染力极大地鼓舞了人民的斗志，给了人民坚定的信念和一往无前的决心！"啊！黄河！怒吼吧，怒吼吧，怒吼吧！向着全中国受难的人民，发出战斗的警号！向着全世界劳动的人民，发出战斗的警号！"（选自《黄河大合唱》第八部分《怒吼吧，黄河》）这是自由的呐喊，这是自强的呐喊，展现了中华民族在危难关头的英勇无畏和不屈抗争，那激情的时代强音，成为振奋人心的不朽之作。

艾青是我国杰出的现代主义诗人，在那硝烟四起的抗战烽火中，艾青目睹了社会底层人民苦难的现实，感受到了伟大的民族精神和力量，创作出一系列写实诗歌，如《北方》《风陵渡》《乞丐》《手推车》等。诗人将深深的忧虑写进诗中，但他始终坚信，在这灾难深重的民族命运面前，人民最终一定会取得胜利。"风陵渡是险恶的，黄河的浪是险恶的。听啊，那野性的叫喊，它没有一刻不想扯碎我们的渡船和鲸吞我们的生命；而那潼关啊，潼关在黄河的彼岸，它庄严地守卫着祖国的平安。"（选自《风陵渡》）作者把自己的感情赋予这个时代，洋溢着进取、奋起的激情和信念，充满着对光明不懈的追求，这片广袤的大地上，正谱写着一曲曲生命壮歌。

2. 黄河新貌

中华人民共和国成立后，中国共产党带领人民经过艰苦奋斗，在黄河上兴建了一批重大水利工程，对黄河水资源的开发利用进入了新阶段，这一时期的黄河诗词则主要反映了我国的建设成就，展现了黄河流域在新时代的勃勃生机。如郭沫若的《访三门峡（八首）》《满江红·游览刘家峡水电站》、穆旦的《三门峡水利工程有感》、贺敬之的《三门峡——梳妆台》、董必武的《观三门峡枢纽工程》、郭小川的《三门峡》等。高峡出平湖，面对雄伟的大坝和碧波万顷的水库，诗人难掩心中豪情，尽情地抒发着感慨和自豪之情。

三门峡水利工程有感

作者：穆旦

想起那携带泥沙的滚滚河水，

也必曾明媚，像我门前的小溪，

原来有花草生在它的两岸，

人来人往，谁都赞叹它的美丽。

只因为几千年受到了郁积，

它愤怒，咆哮，波浪朝天空澎湃，

但它终于没有出头，于是它

溢出两岸，给自己带来了灾害。

又像这古国的广阔的智慧，

几千年来受到了压抑、挫折，

于是泛滥为荒凉、忍耐和叹息，

有多少生之呼唤都被淹没！

虽然也给勇者生长了食粮，

死亡和毒草却暗藏在里面；

谁走过它，不为它的险恶惊惧？

泥沙滚滚，已不见昔日的欢颜！

呵，我欢呼你，"科学"加上"仁爱"！

如今，这长远的浊流由你引导，

将化为晴朗的笑，而它那心窝

还要迸出多少热电向生活祝祷！

　　黄河，曾深沉地流淌过伤痕累累的中华大地，也为中华儿女提供着生生不息的精神力量。伟大的黄河精神，就是民族之魂，犹如滔滔黄河水般，澎湃不息。

　　临黄河而知中国，鉴往事而知来者。我们理应热爱并弘扬黄河文化，让黄河文化在新时代里熠熠生辉。

第六章

海纳百川 奔腾向前

黄河是中华民族的母亲河，它蜿蜒穿行在广袤的中国大地上，几千年来，孕育了极其灿烂的文化瑰宝，成为中华民族早期文明的发源地。在历史长河中，黄河犹如一颗璀璨的明珠，熠熠生辉，吸引满天星斗般的文明之光向黄河流域汇聚融合。中国早期先民择水而居，用自己的勤劳和智慧共同开发了黄河流域的丰富资源，创造了农耕文明；在社会不断发展的过程中，黄河流域逐渐成为人口密集、规划井然、社会分工明确、初现王权和礼制的早期国家雏形，成为政治、经济、文化的中心；以黄河为纽带形成的河域文化，兼收并蓄、包容吸纳，在各种文化碰撞和融合中，在不断进行社会变革的过程中，源源不断注入中华民族的特质和禀赋，熔铸了海纳百川的民族精神，共同推进了中华文明一体化格局的形成，成为黄河文明的显著标志。随着历史的车轮不断向前，黄河文明一直保持着活力和动力，与时俱进，不断创新，成为中华文明的核心部分，也成为中华文化主根和主脉的重要支撑。

第一节　中华民族的根和魂

　　早在远古时期，我国先民在数千公里的黄河流域定居。新石器时代，黄河上游、中游及下游地区都产生了灿烂的文化遗产。例如，我国早在 8000年前便发明了制陶技术，是世界上最先烧造和使用陶器的国家之一，这一发明标志着人类新石器时代的开始，成为贯穿这个时代始终的重要标志。黄河孕育了中华文明，黄河精神成为中华民族的文化基因，被一代又一代中华儿女传承延续。

一、根之深

　　黄河流域是中华民族先民早期最主要的活动地域，也是中国早期文化形态的主要诞生地。在长期的历史发展过程中，黄河文明经历萌芽、发生、发展的过程，最终成为中华文明的核心内容。

　　1. 民族发展之基

　　黄河文化历史悠久，源远流长。早在 180 多万年前的山西芮城，就有了西侯度人类活动的轨迹；115 万年前的陕西蓝田出现了多处火烧之后留下的堆积炭末。我们的祖先，在黄河流域度过了华夏文明的金色童年，最早沐浴了文明之光。

　　据考古发现，距今 9000—7000 年前的前仰韶时代，黄河流域就已经出现了裴李岗文化、磁山文化、老官台文化、大地湾一期文化、后李和北辛文化等，这些新石器时代的文化代表，是华夏文明的重要来源；距今 7000—5000 年前，黄河上游、中游和下游地区分别出现了灿烂的马家窑文化、仰韶文化和大汶口文化。距今 4000 年左右，黄河中、下游地区的山东、河南、山西、陕西等省出现了铜石并用的龙山文化，史称"万邦时代"。制陶技术在这一时期得到普遍采用，磨光黑陶数量更多，质量更精。万邦时代也是早期国家诞生的时代，形成了邦国林立的格局，黄河流域考古发现20多座当时的城址，如山西襄汾陶寺、河南登封王城岗、河南新密古城寨、山东章丘城子崖、日照两城镇和尧王城等。这些在黄河流域发育发展起来的古代文明，呈现出黄河流域农业和畜牧业高度发展、人口急剧增加、社会复杂度不断提高的特征，除此之外，还出现了原始城堡、城垣和大型建筑，并且有了阶级、贫富分化，展示了人类社会向国家文明时代迈进的步伐。这些璀璨的新石器时代文化犹如一颗颗明珠，串联起浩瀚的中华文化，不但对探寻中华文明的源头意义重大，而且对中国传统文化影响意义深远。

黄河流域是中华文明发生、发展的核心区域。在国家形成之前，有中华民族人文始祖之称的炎黄二帝，就是原始社会时期两位杰出的部落首领，其活动的历史舞台就在黄河流域。黄帝族的力量较强，文化影响也较大，因而成为黄河文化和中原文化的代表，也是中华文明起源过程中重要的文化引领。

黄河文化博大精深，蕴含强大的生命力。黄河文化作为中国具有代表性的文化体系和文化地标，根植漫长岁月的黄河历史，它不但以文化形态来展示黄河流域各种民族文明、风俗和精神，融会百家之长，还发明了汉字来记载这些文明和文化。汉字是中华文明得以记载和传播的重要工具。相传仓颉是黄帝的史官，他在古代汉字的搜集、整理和创造中起到了重要作用。汉字可以说是由仓颉及其所代表的黄河流域的中华民族祖先所创造的，并为中华民族世世代代所继承发展，标志着中国历史走进了有文字记载的时代，具有鲜明的民族性，是中国优秀传统文化的代表。

黄河文化伴随中华民族的悠久历史，已经绵延不断持续5000多年，是世界上唯一没有中断的文明。在黄帝时期，我国就有了多项发明，比如制衣、造煮饭工具、造车、造弓弩、造船、造宫室等，方便了人们的衣、食、住、行，对世界文明起到重要作用，既是黄河流域自然、历史和人文的发展与创新，也是中华民族顽强不屈精神力量的历史积淀与思想升华。

2. 文化自信之源

黄河流域孕育了中华民族最璀璨的文化精华。在 5000 多年的漫长岁月中，中华先祖创造、建构了庞大的文化体系，成就了一个时空交织的多层次、多维度的文化共同体，为今人积累了丰美而深厚的文化资源。仓颉造字，不但让中华文明代代相传，还衍生出书法、字画艺术等中华文明瑰宝。黄帝建造宫室，让人民聚集而居，还教人制作衣裳、挖井、制造舟车，为后世的衣、食、住、行奠定了基础。黄帝的妻子嫘祖养蚕缫丝、部下伶伦编出乐谱等，都极大地丰富了黄河文化。从内涵或内容来看，黄河文化可分为史前文化、始祖文化，农业文化、都城文化、姓氏名人文化、制度文化、思想文化、宗教文化、科技文化、文学艺术与水利文化等。

中华民族起源于黄河流域，黄河流域成为中华民族的摇篮，黄河成为"母亲河"。黄河流域农业起源很早，大约在旧石器时代末期，农业即已初露端倪，至新石器时代，原始农业逐渐形成，黄河流域是以粟为代表的旱作农业的起源地。

黄河流域是中华元典思想的诞生地。人文初祖伏羲在黄河中游"画八卦"，从而演绎出中原的"河出图，洛出书"，成为东方思想文化之根源。老子生鹿邑而西出函谷关，完成影响世界数千年的《道德经》。孔子周游黄河中下游地区，成为儒学的开山鼻祖。墨子、韩非子、鬼谷子等墨家、法家、纵横家诸多学派的杰出代表，纵横黄河中下游流域，或开创或传承一代影响后世的思想学派。秦汉及其后，黄河流域思想火花绵延不绝，秦汉的黄老思想、魏晋的玄学、隋唐的道统思想、北宋的新儒学，都首先出现并传播于黄河流域。这其中，既有严谨朴实、情礼交融的日常礼念，也有意境高远的文艺作品；既有"究天人之际、通古今之变"的历史巨著、精义入神的哲学理论，也有存在于佛道、中医、武术、气功之中的科技文化体系。这些不同的文化资源具有重要的理论价值和现实意义，将对未来人类文明作出具有中国色彩的卓越贡献。

黄河流域具备有利的文化创造条件。黄河文化是我国优秀传统文化的核心组成部分，包罗万象，内涵丰富，以其系统性、丰富性、完整性、连续性为中华民族的成长提供精神养分，为我国从古至今的经济社会发展提供智力支持。黄河文化与时俱进，不断创新，即使在经济飞速发展的21世纪，依然展现出其蓬勃的生机，为促进经济社会发展，为实现中华民族伟大复兴的中国梦作出了巨大贡献。

3. 文化创新之力

黄河流域历史悠久，文蕴丰厚，是进行文化创新，实现中国梦的强大根基。自农耕文明时期始，黄河流域就是中华民族的发源地，也是几千年历史长河中中华民族最主要的政治、经济、社会、军事、文化活动中心。从公元前21世纪的夏朝开始，迄今4000多年的历史时期，历代王朝在黄河流域建都的时间绵延3300年，诞生了璀璨绚丽的物质文明和精神文明，构成了中华文明的主要组成部分。在相当长时期内，黄河流域一直是全国政治、经济、文化中心，黄河中下游地区是全国科学技术、政治制度、文学艺术发展最早、最快、最成熟的区域，并且长期领先于世界科技文化发展水平。从《诗经》到诸子百家，再到唐诗宋词，大批文学经典与文化典籍产生于此。中华民族为了生存和发展，治理黄河、兴利除害、治国安邦，不仅创造了丰富的物质财富，也创造了宝贵的精神财富，形成了独特的黄河文化，其中蕴含的核心思想理念、传统美德、人文精神等文化基因是中华优秀传统文化的重要组成部分，这些都成为中国梦实现的强大根基。

黄河流域面积辽阔、人口众多，发展潜力大，是进行文化创新，实现中国梦的强大支撑。黄河流经我国9个省（自治区），全长约5464千米，流域面积约79.5万平方千米。黄河流域人口众多，不同民族在语言、艺术、文字、服饰、建筑、习俗、食物等方面都有各自的特色文化基因，以黄河为纽带和桥梁不断交流、融合，给现代文化创新提供了动力源泉，是实现文化创新、文化兴国、中华民族文化复兴战略的主阵地。

黄河文化蕴含重要时代价值。文化是一个时代不断创新、奋勇前进的号角。黄河文化虽历经千载，但依然历久弥新，其中重要的原因是其在发展中与时俱进，融入新时代、新观点、新精神，具备强大的吸纳和创新能力，具备极大的文化包容性和开放性。黄河文化在发展过程中，以黄河流域为中心向周边地区不断拓展，通过人口迁徙、贸易和文化交流等融会贯通南北文化，形成了大一统的思想观念和价值理念，营造了中华民族共同的信仰追求。与此同时，黄河文化还通过丝绸之路和其他渠道与亚洲、欧洲及非洲各国进行文化交流，形成对外经济联系、文化交流、政治外交的稳定渠道，弘扬和发展了中华文化，为新时代中国全方位开放发展和构建人类命运共同体提供了可资借鉴的历史基础和实践基础。

二、魂之美

黄河文化是中华民族发展的重要精神支撑，是中华民族"魂"之所依。黄河流域幅员辽阔，有丰富的自然景观和人文景观，积累和传承了丰厚的文化资源，在生产生活、制度文化、意识形态等领域均有建树，深刻影响着中华民族的民族精神与品格。

1. 自然之美

黄河是地球上一条流域广、流径长的自然河流。它自西向东流经9个省

黄河源头：三江源国家自然保护区

（自治区），历经 5464 千米，汇入渤海。它绕山穿峡，九曲十八弯，从茫茫草原的涓涓细流，到崇山峻岭相依相伴，再到汹涌澎湃的大河，形成了多处独特的自然景观。

首先是黄河的水美。"黄河之水天上来，奔流到海不复回。"黄河水发源于青海腹地。黄河源头水流较小，是一股股细微的清泉。比如古宗列曲，仅有一个泉眼，是一个东西长 40 千米，南北宽约 60 千米的椭圆形盆地，内有 100 多个小水泊，既似繁星点点，又似粒粒晶莹的珍珠。

黄河中上游以山地为主，中下游以平原、丘陵为主。由于河流中段流经中国黄土高原地区，因此挟带了大量的泥沙，所以它也被称为世界上含沙量最多的河流。到了陕西省延安市宜川县壶口乡和山西省临汾市吉县壶口镇，就形成了著名的壶口瀑布。壶口瀑布是中国第二大瀑布，也是世界上最大的黄色瀑布。黄河奔流至此，两岸石壁峭立，河口收缩狭窄如壶口，故名壶口瀑布。瀑布上游黄河水面宽 300 米，在不到 500 米长的距离内，被压缩到 20~30 米的宽度。1000 立方米每秒的河水，从 20 多米高的陡崖上倾注而泻，

壶口瀑布

形成"千里黄河一壶收"的气概。至黄河中下游，由于黄河将大量泥沙输送到河口地区，大部分淤在滨海地带，填海造陆，塑造了黄河三角洲，形成冲积平原，有利于种植。

其次是与黄河相依而存的山美。黄河流域西界巴颜喀拉山，北抵阴山，南至秦岭，东注渤海。流域内地势西高东低，高差悬殊，形成自西而东、由高及低三级阶梯。最高一级阶梯是黄河河源区所在的青海高原，位于著名的"世界屋脊"——青藏高原东北部，平均海拔 4000 米以上，耸立着一系列北西—南东向山脉，如雄踞黄河左岸的阿尼玛卿山主峰玛卿岗日海拔 6282 米，是黄河流域最高点，山顶终年积雪，冰峰起伏，景象万千。第二级阶梯地势较平缓，黄土高原构成其主体，地形破碎。这一阶梯大致以太行山为东界，海拔 1000~2000 米。黄土塬、梁、峁、沟是黄土高原的地貌主体。第三级阶梯地势低平，绝大部分为海拔低于 100 米的华北大平原，包括平原、丘陵和河口三角洲等。

黄土高原沟壑区

黄河流域九大著名景观

黄河九曲十八弯，盘旋在神州大地上，沿线有许多景色怡人的风景胜地。黄河特殊的自然条件，造就了黄河沿线九大著名景观：黄河源头景区、九曲黄河第一弯、壶口瀑布、香炉寺、乾坤湾、潼关、黄河小浪底、黄河老牛湾、晋陕大峡谷。

2. 文化之美

黄河流域自然生态秀美多变，助力中华民族的诞生，在漫长的碰撞、裂变、融合中，社会变革，文化碰撞，华夏文明在这里绽放，推动了中华民族文化异彩纷呈、多元一体的文化发展格局的形成，成为中华文明的核心标志。

黄河流域的红色文化是中国共产党人不忘初心、砥砺前行的动力和基础。黄河流域是中国革命的摇篮，甘肃会宁三大红军主力会师处，延安革命根据地，晋绥、晋察冀、晋冀鲁豫等革命根据地，对中国革命产生了关键的不可替代的作用。无数革命先烈铸就的红色文化基因，融入了中国共产党人的血液中。黄河流域在革命战争年代诞生的红色文化，在黄河文化发展史上写下了浓墨重彩的一笔。

黄河流域的根祖文化是坚定文化自信、实现中国梦的基础。"九曲黄河，奔腾向前，以百折不挠的磅礴气势塑造了中华民族自强不息的民族品格，是中华民族坚定文化自信的重要根基。"源远流长的黄河根祖文化，是中华民族文化自信的根与魂，需要我们去保护、去传承、去弘扬。

黄河流域的农耕文化是建设生态文明的重要支撑。黄河流域是中华民族农耕文化的发源地，舜耕历山、禹凿龙门、后稷稼穑、嫘祖养蚕等流传久远。夏县古蚕茧文物的出土，佐证了中华纺织的起源。黄淮海平原、汾渭平原、河套灌区至今仍是农产品主产区，目前粮食和肉类产量占全国三分之一左右。悠久的农耕文明孕育了华夏民族，黄河农耕文化是黄河文化中的宝贵的珍珠。

黄河流域哺育了许多历史文化名人，是促进文化传播和发展的重要平台。数千年来，黄河流域的文化名人层出不穷，荀子、王勃、司马光、柳宗元、白居易、王维等灿若群星，一代代黄河先哲传承着黄河文明、弘扬着黄河文化。在这里，"黄河落天走东海，万里写入胸怀间"，彰显着文化自信的根与魂。群星灿烂是我们传承、弘扬中华文明的榜样和标杆，激励着一代又一代中华儿女奋发有为，构建了我们中华民族的精神家园。

除此之外，黄河流域的治理文化、商业文化、旅游文化等从不同方面彰显了中华文明的文化之美，凸显了中华民族的传统美德，表达了人民对美好生活的向往，也是当代黄河儿女的使命和担当。

3. 精神之美

黄河文化是中华优秀传统文化的一部分，有着自己明确的独特价值观，是中华传统道德规范、道德感情、道德原则的基础，贯穿于个人行为、社会文化、治国理政等方方面面，成就了中华传统美德体系，也是社会主义核心价值观的基础和根脉。

黄河文化的精神之美体现在以民为本的思想中。以民为本是中国传统文化基本要义之一，其意为百姓为国家根本，根本稳固，国家就安宁。自西周初期，人们开始反思兴亡的原因，通过对历史的观察，他们看到由于大禹把水灾治好，让百姓安居乐业，大家才拥护他建立了夏朝，夏桀残暴、荒淫，最终因失去民心而亡国，商也因纣王无道而易代。因而，历代均以"民"为统治的根基。黄河流域的不少思想家都对这一思想有所论述，强调把人的价值放到首位，其中中原文化及齐鲁文化表现得最为突出。以人为本是要充分发挥广大群众的创造性和体现广大人民群众的根本利益，是黄河文化中具有积极意义的精神。

黄河文化的精神之美体现在自强不息的奋斗精神中。《周易》有云："天行健，君子以自强不息。"在这一思想熏陶下的黄河儿女，不断演绎着自强不息的奋斗精神。自古以来，黄河多次决溢和改道，给黄河流域的人民带来灾难，中华儿女也不断地与黄河作斗争。从中华人民共和国成立伊始，毛泽东主席发出"要把黄河的事情办好"的伟大号召，治理黄河就被提上日程，大批沿黄军民和黄河建设者开展了规模庞大的治理与保护工程，岁岁安澜的图景得以出现在世人面前。一部治黄史，就是一部中华民族不屈抗争史。正是中华民族的不屈抗争，磨砺了中华儿女不屈不挠、团结奋斗的精神，也正是凭借这股精神，中华民族才傲然屹立于世界民族之林。

黄河文化的精神之美体现在开拓创新的精神上。黄河流域是中华民族的重要发祥地，于此形成的黄河文化也具有极强的开创性，早在4000多年前，夏朝就在黄河流域立国建都，西安、安阳、郑州、洛阳、开封等古都均在黄河流域。在近现代中国共产党领导人民进行革命、建设和改革发展时期，黄河文化依旧具有较多创新和务实之举。

黄河文化是各民族共同培育的。黄河文化哺育了人们，人们又以杰出的精神创造丰富了灿烂的黄河文化。在历史的浩瀚长河中，黄河文化以其强大的凝聚力和感召力成为中华民族祖先的代表，成为维系中华民族的精神力量。

第二节　黄河流域内多元文化融合

中华儿女沿水定居，在黄河两岸生产繁衍，创造了丰富多元的黄河文化。在黄河的上、中、下游，逐步形成了青海、甘肃地区的河湟文化，宁夏、内蒙古地区的河套文化，陕西、山西地区的秦晋文化，河南地区的中原文化，山东地区的齐鲁文化五大优秀传统文化，共同铸造了黄河流域文明化古城中的中华民族传统文化的早期文化内涵。

1. 河湟文化

河湟是指黄河上游、湟河流域、大通河流域，古称"三河间"，河湟文化是指青海、甘肃地区形成的文化类型。走进河湟谷地，不仅有雄浑的山川景观和恬静的田园风光，更有瑰丽奇特的历史风光和民俗风情。柳湾彩陶、古堡边墙、湟水夕照、古刹晚钟、六月"花儿"、新春社火、土族"纳顿"、撒拉尔"口弦"、皮影、雕塑、农民画、酥油花，等等，一个流光溢彩、沧桑变幻的文化长廊次第呈现。

马家窑文化：河湟文化在新石器时代的典型代表。如在最著名的柳湾墓葬群中，出土了数以万计的精美彩陶。这些彩陶质地坚硬耐磨，工艺精巧，图案丰富，风格多变，纹饰线条流畅，色彩艳丽，蕴含着古代人类思维活动和审美心理的奥秘。其中舞蹈纹彩陶盆最有典型代表意义，舞蹈纹彩陶盆为新石器时代后期陶器，舞蹈者的形象以单色平涂的手法绘成，造型简练明快，欢乐的人群簇拥在池边载歌载舞，人物形象栩栩如生，

马家窑文化裸体浮雕彩陶瓶

充分体现了马家窑文化的辉煌。

花儿：世代居住河湟地区的各族人民，在长期生产生活中，创造了具有浓郁地域特色和民族风格的民间文化艺术，古老的民歌"花儿"就是其中最耀眼的艺术形式之一。花儿又名少年，因歌词中把女性比喻为花朵而得名，当地人称作"漫花儿"，人们平时在田间劳动、山野放牧和旅途中即兴漫唱，每年还要在特定的时间、地点举行规模盛大的民歌竞唱活动"花儿会"，青年男女在那天会背上干粮，到附近的山中去"漫花儿"，以歌会友，或单打独唱，或一问一答互相对唱，漫山遍野成了花儿的海洋，令人神往。

2. 河套文化

河套是指内蒙古和宁夏境内的贺兰山以东、狼山和大青山以南黄河流经的汉族地区，黄河流经此地形成一个大弯曲，所以称为河套。河套地区水草丰美，可耕可牧，民间谚语有"黄河百害，唯富一套"的说法。"敕勒川，阴山下，天似穹庐，笼盖四野。天苍苍，野茫茫，风吹草低见牛羊"是对河套地区自然景观的生动描述。河套文化更多表现为草原文化，草原民族在千百年来形成了豪迈爽朗、兼容并蓄的地域特色文化。

河套地区少数民族聚集，形成了丰富多彩的民间文艺，包括韵味深厚的乌拉特民歌、呼麦、马头琴艺术，还有闻名于世的河套水利工程，蒙古包制作、剪羊毛、擀毡、铜银匠工艺等生产活动，羊背子、烤全羊、奶茶、奶食等特色美食，这些丰饶的文化成果凝聚着草原民族深层次的文化基因，是深扎于河套的民族之根和弥足珍贵的文化遗产，具有独特的魅力。

乌兰察布岩画

乌兰察布岩画：又称草原岩画，最早创作

于 10000 年以前，主要分布在四王子旗一个斜坡上，岩石色泽为灰白色，石质虽然略粗，但石面较为平滑，好像大自然专门为古代艺术家们准备的天然画布。岩画内容丰富，有野兽、飞禽、家畜、狩猎、放牧、人脚印、动物蹄印、十二生肖、人面像、云、太阳等内容，反映了北方游牧民族的社会生活、风俗习惯及他们的思想意识，是极为原始质朴的绘画艺术品。

蒙古族长调民歌：内蒙古自治区传统音乐，被誉为"草原音乐活化石"，旋律悠长舒缓、意境开阔，历史可追溯到 2000 年前。蒙古族长调民歌多取材于牧民的生活，大多是描写草原、骏马、骆驼、牛羊、白云、江河、湖泊等，演唱者穿蒙古长袍，配以马头琴音乐，以蒙古人特有的语言诉说着蒙古民族对历史文化、人文习俗、道德、哲学和艺术的感悟。

3. 秦晋文化

秦晋泛指陕西和山西，位于黄河中游，这一地区以丘陵、平原为主，是农耕文明的发源地之一。早在 115 万年前，秦岭北麓就出现了能够直立行走和制造工具的蓝田猿人，在距今 6000 年前，渭河流域就出现了原始的半坡氏族，从事种植、畜牧、渔猎等生产活动，开始了日出而作日落而息的部落聚居生活。山西在距今 10000 年前的新石器时代就出现了长期定居的村落，当时人们生产中使用磨光石器、烧制陶器、经营原始种植农业、饲养家畜。秦晋地区一直是中华文明的发源地和中华礼乐文明的兴盛地，在黄河文化乃至中华文化中占有突出地位。

秦晋地区创造了辉煌灿烂的中华传统文化。陕西是人类最早活动区域之一，最早的蓝田猿人出现于此，周朝从陕西岐山、扶风走向兴盛，"车同轨、书同文"的大一统秦朝在此建都，长安在西汉、隋唐时期一直是政治、经济、文化中心，红色文化根据地延安是中国共产党人寻根铸魂之地。山西地区有古长城、云冈石窟、平遥古城、五台山等蔚为大观的世界文化景观，赵武灵王胡服骑射、张仪公孙衍合纵连横等故事均发生于此，民间也形成了晋南花鼓、炕画、面塑、木版年画等富有浓郁农耕色彩的风土人情。异彩纷呈的文化是游牧文化与农耕文化融合的结果。

《霓裳羽衣曲》图

《霓裳羽衣曲》：是唐代的一种宫廷乐舞，为唐玄宗所作之曲，用于在太清宫祭祀老子时演奏，相传是玄宗登三乡驿望见女儿山（传说中的仙山），触发灵感而作，描写玄宗向往神仙而去月宫见到仙女的神话，其舞、其乐、其服饰都着力描绘虚无缥缈的仙境和舞姿婆娑的仙女形象，给人以身临其境的艺术感受。《霓裳羽衣曲》起初只在宫廷表演，开元二十八年（740年），杨玉环在华清池初次觐见时，玄宗曾演奏《霓裳羽衣曲》以导引。《霓裳羽衣曲》在开元、天宝年间曾盛行一时，安史之乱后，宫廷就没有再演出了。后世文人才子纷纷试图恢复此曲，包括南唐后主李煜也曾一度整理排演，但已非原味了。《霓裳羽衣曲》是唐代歌舞的集大成之作，至今仍无愧于音乐舞蹈史上一颗璀璨的明珠。

革命圣地延安：陕西省的延安市被称为革命圣地。刘志丹、谢子长创立的陕北革命根据地，成为中央红军长途征战的落脚点，从1935年到1948年，延安是中共中央的所在地，是中国人民解放斗争的总后方，经历了抗日战争、解放战争和整风运动、大生产运动、中共七大等一系列影响和改变中国历史进程的重大事件。特别是毛泽东等老一辈革命家亲手培育的自力更生、艰苦奋斗、实事求是、全心全意为人民服务的延安精神，是中华民族精神宝库中的珍贵财富，已经成为全国人民团结一致进行社会主义现代化建设的重要精神支柱。

4.中原文化

"一部河南史，半部中国史"。中原又称华夏、中州，是指以洛阳至开封一带为中心的黄河中下游地区，狭义上指今天的河南省。由于黄河泥沙的淤积和气候等诸多便利的自然条件，这里自上古时期就形成了发达的农业文明。历史上先后有 20 多个朝代定都于此，中国八大古都中有四个古都在中原，为后世中国的社会政治制度、文化礼仪典章提供了基本的范本。

少林功夫：少林功夫是中华武术的杰出代表之一。少林功夫以佛教神力信仰为基础，充分体现汉传佛教禅宗智慧，以少林寺僧人修习的武术为主要表现形式。少林功夫的要旨是禅武合一。根据少林寺拳谱记载，少林功夫共有 708 套，其中拳术和器械 552 套，另外还有 72 绝技。流传下来的少林功夫套路有 200 余套，其中拳术 100 余套，器械 80 余套。

少林功夫

太昊陵庙会：太昊陵庙会是中原非常古老的传统民俗活动。淮阳太昊陵二月会的起源，可以追溯到 6000 多年前，相传

太昊陵庙会

农历二月十五日是人祖伏羲的生日，伏羲和女娲一起，抟土造人、创立八卦，制定婚娶制度，奠定了中国早期文明。为纪念伏羲的功德，民众在太昊伏羲氏长眠之地淮阳建立陵庙，每年二月初二到三月初三，善男信女组成的朝祖进香会，高举黄绫青龙旗，手捧香楼，肩挑花篮，在器乐声中，十分庄重地向人祖焚香跪拜，表达对祖先的崇敬。大凡祭祖朝香者，都要从家乡带来一

把泥土，进香之后，添洒在伏羲陵墓上，寓意子孙繁荣昌盛。如今，太昊陵庙会已经发展成全球规模最大、会期最长的庙会。

5. 齐鲁文化

黄河从山东入海，孕育出璀璨的齐鲁文化。齐鲁文化又称海岱文化，以黄河下游及汶河、沂河、泗河、沐河流域为主，东及渤海，南至江苏北部及淮北地区，中心在泰山、沂蒙山周围。齐鲁文化是以先秦齐文化和鲁文化为渊源发展起来的文化。春秋时期的鲁国，产生了以孔子为代表的儒家思想学说，而齐国则产生了以姜太公为代表的道家思想学说，又吸收了当地文化（东夷文化）并加以发展，最终形成了具有丰富历史内涵的齐鲁文化。

齐鲁地区人杰地灵，圣人贤士、文化名人众多，文化景点浩如烟海，早在四五十万年前，就有了与北京周口店地区同期的沂源猿人生活在这里。数千年来涌现出了儒学圣人孔子、孟子，战国名将吴起、孙膑，名医扁鹊，工艺大师鲁班，书法家王羲之，文学家东方朔，大词人李清照、辛弃疾等历史名人，是中华民族礼仪制度发源地，百家争鸣的中心园地，对中华民族和世界文化产生了重要影响。山东人常用"一山一水一圣人"来形容本地文化，"一山"是指泰山，"一水"是指黄河，"一圣人"是指孔子。

泰山封禅："封禅"是中国古代国家制度中最大、最崇高、最隆重的礼，因为它是人间"帝王"与天地通话的仪式。中国古代先民心中最高的主宰神是"天"，其次是"地"，皇天是至高无上的君主，君权是皇天授予的。一般帝王并没有封禅的资格，只有受命于天、致天下太平者才有资格。这么隆重的仪式，之所以选择在泰山举行，主要是因为儒家思想成为国家正统思想后，山东的儒生们极力鼓吹泰山的神圣。长期居住在泰山的人们，以为泰山最高，上可通天。因此，登上泰山之顶，筑坛祭天，与皇天通话，报天之功；在泰山下小山上除地祭地，报地之功。

三孔：三孔是指山东济宁曲阜的孔府、孔庙、孔林，是中国历代纪念孔子、推崇儒学的表征。山东曲阜是孔子的故乡，孔子生前在此开坛讲学。孔庙是孔子死后第二年，由鲁哀公在孔子生前的故宅基础上改建而成的，后经历代王朝扩建，规模不断扩大，现在已成为占地 600 多亩的古代杰出建筑群。孔府是孔子嫡系长子长孙居住的府邸，前有官衙，后为内宅，现有楼、厅、堂 480 余间。孔林是孔子及其家族的专用墓地，也是世界上延续时间最长的家族墓地。孔子死后，他的弟子从全国各地带来奇花异木来此种植。

位于山东曲阜的孔府

第三节　黄河文化的传播扩散

黄河文化作为中华优秀传统文化的集中代表，除了具备强大的生命力和创造力，还具备极强的辐射性，是中华文明对外交流的主要力量。黄河文化在丝绸之路的文化传播上起到了重要作用，同时又是客家文化、台湾文化的重要源头和组成部分。

一、丝绸之路与黄河文化

黄河文化通过丝绸之路大放异彩。丝绸之路是连接中国腹地与欧洲诸地的陆上商业贸易通道，它形成于公元前 2 世纪与公元 1 世纪间，是一条东方与西方之间政治、经济、文化进行交流的重要通道。西汉时期，汉武帝派张骞出使西域形成其基本干道，以长安为起点（东汉时为洛阳），经河西走廊到敦煌。黄河文化通过贸易、文化交流、政治外交等扩散至中东、印度、欧洲、日本及朝鲜半岛等地，丝绸、茶叶、瓷器等农业及手工业产品和先进的生产技术（如四大发明等）、文化艺术等也从这里走向世界。黄河文化与域外文明的交流以丝绸之路为标志，对世界发展产生了重要影响。后来，唐宋时期的都城长安和东京汴梁成为当时全球范围内最发达的国际性大都市，其城市文明也通过丝绸之路传播到世界各地。

丝绸之路为黄河文化注入新鲜血液。隋唐时期，丝绸之路交往进入繁荣鼎盛时期，对外文化交流十分频繁，日本、新罗、天竺等国家派遣使节、留学生等来华进行文化政治交流。宋朝时，中国的对外往来达到巅峰状态，朝廷高度重视对外贸易。通过丝绸之路，来自异域的文化在中原多元文化环境下能够适应并且保存下来，如佛教、景教、摩尼教、祆教、伊斯兰教等先后传入河南并融入中原文化之中，使作为中原腹地的河南成为古丝绸之路异域文化的融会之地，黄河文化因此也更加丰富多彩。西域的毛皮、马匹、瓜果、香料，伊朗的银器，犍陀罗的艺术等通过丝绸之路传入中国，对黄河文化的丰富性、创新性和多样性起到重要作用。

黄河文化和丝绸之路相得益彰。黄河文化通过丝绸之路的文化建设实践表明，黄河文化唯有在良性的交流互动中才能更好地激发活力、展现魅力，不断与时俱进，超越向前。当代黄河文化依然在以宽广胸怀接受来自世界的先进文化，以全新的姿态出现在世界文化生态圈。例如，500 多所孔子学院和千余个孔子课堂遍布 135 个国家；丝绸之路影视桥、丝路书香工程等多种多样的文化品牌活动沿着"一带一路"延展开来，成为既传"神"又有"形"的文化纽带。黄河文化在对外文化贸易中势头强劲、竞争力显著增强，具有民族特色的丰富的对外文化体系基本形成。在对外传播中，黄河文化正以积极创新的态度、兼容并包的精神传播中国声音。

二、客家文化与黄河文化

黄河文化是客家文化的源头。客家民系是汉族的一支。据史学家考证，客家先民本是古代中原一带的汉族居民，因中原战乱而南迁，一路迁至岭南一带，带去了先进的黄河文化，尤其是以黄河中游、洛河流域为中心的河洛文化、黄河文化是客家文化世代相传，取之不尽、用之不竭的源泉。

黄河文化与客家文化的渊源颇深。中原人南迁岭南的历史可以追溯至秦朝时期。秦始皇派兵平定岭南之后，中原地区文化随之进入了岭南地区，岭南地区的文明才得到了开发。在中国历史上，有几次较大规模的北人南迁。这几次大规模的北人南迁，给沿途地区带来了更为繁荣先进的魏晋、隋唐文化，中原地区的黄河文化，京都洛阳、开封的文化，这些文化成为客家文化形成和发展的重要参照。

唐宋时期的黄河文化和中原文化对客家文化影响深远。中原地区地处"天下之中"，在我国古代曾长期是政治、经济和文化的中心。隋、唐、宋时期的北人南迁更是给岭南地区带来了先进的黄河文化。比如客家人继承了古代中原汉人沐浴的习俗。周文王之子、武王之弟周公姬旦礼贤下士，见宾客前必要先沐浴整发，孔子也对沐浴之礼十分赞赏，客家人继承了这一中原古俗，凡有房舍处必有浴室。尤其是宋朝之后的北人南迁，当时中原地区的黄河文化非常繁荣，伴随官府朝廷不断南移的还有不少官宦人家、文人骚客和仁人志士，他们带来的先进文化和先进的生产技术，极大地促进了南方广大地区的社会经济发展和文化进步，提升了客家人的社会地位和文化品位，促使客家民系和客家文化的最终形成。

在漫长的历史进程中，黄河文化逐渐与岭南土著文化互相兼容、同化、融合，最终孕育出独具特色的客家文化。与此同时，作为中华民族的一支，客家人还把黄河文化带出国门，足迹遍及大半个中国和海外各地，提升了黄河文化的辐射力，影响了世界范围内的客家人，播撒下黄河文化的种子。博大精深、辉煌灿烂的河洛文化和黄河文化，不但是客家先民重要的精神财富，

福建土楼

而且通过他们得到了广泛、深入的传播，极大地扩大了河洛文化、黄河文化的影响。客家文化的精神、精华与河洛文化、黄河文化一脉相承。

福建土楼

福建土楼是以土作墙而建造起来的集体建筑，呈圆形、半圆形、方形等结构，是出于族群安全而采取的一种自卫式的居住样式。在外有倭寇入侵，内有年年内战的情势之下，举族迁移的客家人不远千里来到他乡，选择了这种既有利于家族团聚，又能抵御战争的建筑方式。客家人建造土楼，聚族而居，主要是源于对中原传统文化的认同。在永定，无论哪一座土楼，楼内的男性居民只有一个姓，一家之内只有族长说了算，这种血缘性聚族而居的特征，反映了中原文化的宗族性、向心性特征。

第四节　新时代的黄河精神

源远流长的黄河文化积淀着中华民族最深层的精神追求，有其独特的价值体系，是培育和弘扬社会主义核心价值观的深厚源泉。习近平总书记谈道："九曲黄河，奔腾向前，以百折不挠的磅礴气势塑造了中华民族自强不息的民族品格，是中华民族坚定文化自信的重要根基。"

一、黄河文化的精神特质

黄河文化是中华文化的基本符号，更是塑造了全体华夏儿女的精神图谱，其中蕴含着丰富的精神特质，概括来说主要是：以同根统一为核心的家国观，以融合会通为核心的民族观，以创新务实为核心的发展观，以民惟邦本为核心的人文观，以自强团结为核心的奋斗观，以开放包容为核心的心态观，以天人合一为核心的自然观，以和合尚同为核心的世界观。

1. 家国观：同根统一

翻阅中国历史，可以发现这样一个史实：国家统一是中国历史发展的主流。黄河流域是中华文明的肇始地及华夏族形成地，关于伏羲及炎黄二帝的古老传说一直流传至今，炎黄子孙的称呼是根深蒂固的根亲观念的直观表现，同时"大一统"观念早在黄帝时期就已经产生，黄帝是中华"大一统"之最早实践者。秦统一后，在黄河流域建立了首个统一的、多民族的国家，实行"车同轨、书同文、行同伦"，树起了中华民族追求大一统、大融合的文化大旗。"大一统"思想作为中国传统政治文化的重要内容，通过人口迁徙、贸易和文化交流等持续向周边扩散，走向一统和融合已成为中华大地共同的追求与信仰。

2. 民族观：融合会通

黄河作为中华民族的摇篮，不但哺育了作为中华民族主体的汉民族，而且哺育了多姿多彩的其他少数民族。沿黄省份均有不同民族的分布区，青海、四川、甘肃、内蒙古、宁夏等均是少数民族的集聚区。各个民族在语言、艺术、文字、服饰、建筑、习俗、食物等方面不断交流、融合的同时，也都在不同程度上保持着各自的特色，形成了一般与特殊交相辉映的和谐画面。大体来说，各民族的融合是游牧民族与农耕民族的融合，双方的互动共同促进了中华民族的大发展。

3. 发展观：创新务实

黄河流域是中华民族的重要发祥地，于此形成的黄河文化也具有极强的开创性，早在4000多年前，"夏"就在黄河流域立国建都，郑州、西安、洛阳、开封、安阳等古都均在黄河流域。在相当长的时期里，黄河流域的经济文化发展一直遥遥领先。从文化内容来看，在生计文化方面，作为古代先进物质文明标志的农业生产技术、陶瓷技术、纺织技术、交通运输工程技术、冶金技术、城市建筑技术、天文历法、数理算术、传统医药、灌溉工程等均产生于此，并向全国乃至世界扩散，对后世影响极大；在制度文化方面，在农耕经济上产生的宗法制度、政治制度、社会制度、治理理念等延续至今，对现代文明依然具有影响；在意识形态方面，中国历史上的炎黄传说、诸子思想、史学文学巨作、宗教信仰、伦理观念等均诞生于此，成为中华文明的核心，深刻影响着中华民族的心理、精神及性格。在近现代中国共产党领导人民进行革命、建设和改革发展时期，黄河文化依旧具有较多创新和务实之举。从这些具体的文化内容可以看出，黄河文化来源于生活，来源于实践，务实性是其基本特质。

4. 人文观：民惟邦本

"民惟邦本，本固邦宁"是中国人民耳熟能详的一个汉语成语，出自《尚书·五子之歌》："皇祖有训，民可近不可下。民惟邦本，本固邦宁。"说的是百姓为国家根本，根本稳固，国家就安宁。这是中国文化最根本的精神，也是一个最重要的特征。历代黄河流域的不少思想家都对这一思想有所论述，其主旨大致都在尊重人民，重视农耕文化，强调把人的价值放到首位，重视人的生存，如"王者以百姓为天""民为贵，君为轻，社稷次之""敬天保民""水可载舟，亦可覆舟"等。到了近代，创作于1939年的《黄河大合唱》，展示了中华民族依靠人民抗战的决心和信心；焦裕禄扎根兰考，一心为民，不顾身体的病痛带领人民战风沙、治盐碱，成为一代楷模。另外，从黄河文化的基本组成部分——河湟文化、河套文化、秦晋文化、中原文化、齐鲁文化等几大区域文化也可以看出这一特质。其中，中原文化及齐鲁文化表现得最为突出。

5. 奋斗观：自强团结

从先秦时期到中华人民共和国成立前的2500余年间，黄河下游共决溢1500多次，大改道26次。从中华人民共和国成立伊始，治理黄河就被提上日程，毛泽东主席发出"要把黄河的事情办好"的伟大号召，大批沿黄军民和黄河建设者开展了规模庞大的治理与保护工程，岁岁安澜的图景得以出现在世人面前。一部治黄史，就是中华民族的不屈抗争史，磨砺了中华儿女不屈不挠、团结奋斗的精神，也正是凭借这股精神，中华民族才傲然屹立于世界民族之林。从毛泽东率领红军东渡黄河出征，到全民族抗战保疆卫国，再到攻克难关建立中华人民共和国，中华民族创造了一个又一个奇迹。无论是在革命时期，还是在社会主义建设、改革时期，抑或是在社会主义进入新时代的今天，自强团结的精神孕育出了"长征精神""红船精神""焦裕禄精神""红旗渠精神"等。在今天面对世界百年未有之大变局时，我们必须继续发扬黄河文化中的自强团结精神。

6. 心态观：开放包容

由于黄河流域长期处于王朝统治的核心区域，开展广泛的文化交流必不可少。黄河文化以其开阔的胸襟和恢宏的气度，从邻近区域及异域的优秀文化中汲取营养，保持自身的文化活力和文化魅力。早在商周时期，黄河文化就与北方的草原文化有了接触；西汉时，随着对国土四方的管辖及国力的强盛，黄河文化与游牧文化有了更大规模的交流，同时打通了与日本、南海、中亚、欧洲等地的交通线，最为知名的就是丝绸之路；到了隋唐时期，文化交流进入繁荣阶段；元朝的疆域规模空前扩大，西夏、西辽、金、吐蕃、大理以及中亚、欧洲等地或在其统治之下，或直接与其有交流。在频繁的文化交流中，大量的外来文化进入黄河流域，为黄河文化发展提供了养料，如物质文化方面的马匹、瓜果、香料，非物质文化方面的音乐、舞蹈、杂技、绘画等。当然，文化的交流是双向的，黄河文化中的文字、文学、绘画、医药、建筑、天文等也不断传至其他地区。在文化交流互鉴、互动发展的过程中，黄河文化逐渐形成了开放包容的文化性格与文化心态，最终铸就了它博大精深的文化体系，以及以黄河文化为核心、多元一体的中华文化体系大格局。

7. 自然观：天人合一

黄河文化是一种农耕文化，是中华民族先民在与自然和谐相处中创造出的物质文明与精神文明的总和。农耕时代要求天时、地利，顺应自然规律，黄河流域的先民们在长期的生产实践中总结了和谐的三才观、趋时避害的农时观、主观能动的物地观、变废为宝的循环观、御欲尚俭的节用观等。这都体现出了黄河文化天、地、人三者和谐的思想，"应时、取宜、守则、和谐"是其主要内涵，强调要把天、地、人三者统一起来，按照自然规律，取之有时，用之有度。反之，从历史上也可以看出，由于人们无视自然规律在黄河上游过度开采，导致森林覆盖率逐年下降，致使黄河泥沙含量陡增，黄河灾害频发，黄河两岸人民生活处于水深火热之中。在倒逼机制的作用下，历朝历代开始大规模的黄河治理之路：自大禹治水至周代，把"疏"和"分"作为治黄的主要方式。西周至春秋战国时代，出现了以堤防水的方法。秦汉至宋元，治黄技术亦有所发展。明代潘季驯在治黄中力排"分流"之议，主张"坚筑堤防""纳水归于一槽"，提出"以堤束水，以水攻沙"的治河方略。清代靳辅、陈潢进一步阐明继承潘季驯的治水理论。但受时代及技术的限制，根治黄患的愿望一直未能实现。1949年后，治黄事业受到重视，最终实现了黄河岁岁安澜。从正反两个方面可以看出，人水和谐、天人合一是黄河文化中自然观的核心内容，也是黄河流域必须秉持的自然法则。

8. 世界观：和合尚同

从文化的精髓与特质来看，黄河文化是以"和"为核心，"同"为精髓的思想体系。作为一个复合体的文化体系，黄河文化的"和"与"同"主要体现为一种极强的包容性、辐射性。"和"不但是处理自身内部的亚文化元素之间的关系所依循的原则，同样亦是处理自我与他者文化之间关系的准则。在早期中国，在各自地域环境条件的塑造下，出现了多个具有地域性的文明。从春秋战国到秦汉王朝大一统时代，黄河流域经历了秦晋文化、中原文化、齐鲁文化等多元并立和多元一体的文化融合发展，形成了黄河文化完整的体系。在随后历经千年的王朝发展过程中，黄河文化作为一种主体文化不断吸收游牧文化，并向江淮流域和珠江流域进行文化输出，融合其他地域文化，同时也通过贸易、文化交流、政治外交等方式扩散至中东、印度、欧洲、日本及朝鲜半岛等国家和地区，丝绸、茶叶、瓷器等农业及手工业产品和先进的生产技术、文化艺术等也从这里走向世界，对世界发展产生了深刻影响。另外，黄河文化还贯通天下一家的理想。儒家"四海之内若一家"的大同理想、"亲仁善邻""协和万邦"的处世之道、"以义制利"的道义准则、"远人不服，则修文德以来之"的德化理念，是具有世界意义的理念与准则，对处理当今的国际关系仍具有借鉴与指导意义。

二、黄河文化的时代价值

黄河文化是中华民族的核心与主干彰显了其在中华文明、世界历史上的地位和影响力。

1. 黄河文化为中华民族国家认同提供标志性符号

黄河是中华民族的母亲河，三皇五帝的活动范围集中于此，夏、商、周建都于此，中国最早的城市、文字、青铜器、礼法制度发源于此，这种根源性、辐射性、渗透性和延续性使黄河文化成为中华文化的根基与标识，使中华儿女形成了"同根同祖同源"的民族认同心理，也形成了中华民族尚祖寻根、家国一体的民族心理结构。同时，黄河有其双面性，既养育了中华儿女，也为两岸人民带来了无数的水患和灾难。"黄河宁，天下平"，在同黄河长期不懈的斗争中，中华民族形成了鲜明的性格：自强不息的民族精神、忧国忧民的忧患情怀、爱国敬业的家国情怀、团结奋进的精神品质，这些民族品格在一次次与黄河水患的斗争中不断升华。

可以说，黄河文化是增强民族认同感、维系国家统一和民族团结的精神支柱和文化根基。黄河文化把亿万炎黄子孙的文化情感与中华民族的前途命运紧密地联系在一起，奠定了中华民族及其炎黄子孙的文化基础。保护、传承、弘扬黄河文化是一项培根铸魂的伟大事业和伟大工程。黄河文化在历史长河中历久弥新的顽强生命力和巨大创造力有助于增强广大炎黄子孙对中华民族的认同感、归属感和自豪感。

2. 黄河文化为实现中华民族伟大复兴凝聚力量

实现中华民族伟大复兴的中国梦是近代以来中华民族最伟大的梦想。中华民族的复兴首先是中华优秀传统文化的复兴。中华优秀传统文化在中华民族复兴中处于核心地位，中华民族的全面复兴需要中华优秀传统文化的全面复兴。

文化自信是"四个自信"中更基础、更广泛、更深沉的自信，是更基本、更深沉、更持久的力量。文化自信是对自身文化价值的积极肯定和对自身文化生命力的坚定信念，这种自信在很大程度上源自中华优秀传统文化。千百年来，奔腾不息的黄河同长江一起，哺育着中华民族，孕育了中华文明。要推进黄河文化遗产的系统保护，守好老祖宗留给我们的宝贵遗产。要深入挖掘黄河文化蕴含的精神基因和时代价值，把那些"最深沉的精神追求""最根本的精神基因""独特的精神标识"挖掘出来、展示出来，推进黄河文化在新时代实现创造性转化、创新性发展，从而讲好"黄河故事"，延续历史文脉，坚定文化自信，为实现中华民族伟大复兴的中国梦凝聚精神力量。

3. 黄河文化为实现黄河流域经济社会高质量发展提供动力

黄河流域作为中华文明的重要发祥地和传承创新区,是中国古代的政治、经济、文化中心地带,黄河流域的文化源远流长、灿若星河,这些丰富的文化资源,为建设黄河生态经济带、促进文化旅游业融合发展、促进区域社会高质量发展奠定了坚实的资源基础。

由于历史、自然条件等原因,黄河流域经济社会发展相对滞后,特别是上中游地区和下游滩区,是我国贫困人口相对集中的区域。黄河文化中蕴含的自强不息、顽强拼搏、百折不挠、敢为人先的精神是黄河流域贫困地区的人们摆脱贫困的重要精神动力,是打赢脱贫攻坚战、增进人民福祉的重要文化依托。

黄河文化为黄河流域各区域经济社会的高质量发展提供了强大精神动力。文化作为一种生产力,在促使加强生态保护治理、保障黄河长治久安、促进全流域高质量发展、改善人民生活方面具有重要意义。黄河流域分布着西安、郑州等国家中心城市以及几大城市群,因地制宜探索具有地域特色的高质量发展新路子,发展特色经济,塑造城市品牌和个性特征,将是未来城市发展的主趋势。在乡村振兴方面,利用黄河文化资源发展田园综合体、现代农业、休闲农庄,打造乡村特色旅游胜地,是黄河流域乡村振兴和乡村扶贫的重要抓手。

在新时代,黄河流域必将迎来新的发展机遇,黄河儿女凭着自强不息、团结奋进的民族品格,必将谱写出更为辉煌、更为雄壮的篇章,创造出更加开放多元、富有时代气息的黄河文化新气象。黄河文化也必将成为推动黄河流域生态保护和高质量发展的重要力量,为实现中华民族伟大复兴的中国梦贡献磅礴之力。

参考文献

[1] 王志刚，许立新.黄河：拜谒龙的故乡 [M].郑州：黄河水利出版社，2008.

[2] 黄河水利委员会黄河志总编辑室.黄河人文志 [M].郑州：河南人民出版社，2017.

[3] 王星光，张新斌.黄河与科技文明 [M].郑州：黄河水利出版社，2000.

[4] 李玉洁.黄河流域的农耕文明 [M].北京：科学出版社，2010.

[5] 王社教.中国古都的故事 [M].济南：山东画报出版社，2007.

[6] 梁启超.老子、孔子、墨子及其学派 [M].北京：北京出版社，2014.

[7] 钱穆.先秦诸子系年 [M].北京：商务印书馆，2015.

[8] 易中天.先秦诸子 [M].上海：上海文艺出版社，2018.

[9] 姚大中.姚著中国史1：黄河文明之光 [M].北京：华夏出版社，2017.

[10] 靳怀堾.智者乐水 [M].武汉：长江出版社，2010.

[11] 靳怀堾.图说诸子论水 [M].北京：中国水利水电出版社，2015.

[12] 于琨奇，庄华峰.中华文明简史 [M].上海：华东师范大学出版社，2005.

[13] 李学勤，徐吉军.黄河文化史 [M].南昌：江西教育出版社，2003.

[14] 郑州市博物馆发掘组.谈郑州大河村遗址出土的彩陶上的天文图象 [J].中原文物，1978（1）：44-47.

[15] 刘建伟.论西水坡遗址的意义 [J].濮阳职业技术学院学报，2017,30（4）：11-14.

[16] 杨利平.庙底沟文化的崛起 [J].大众考古，2018（10）：25-31.

[17] 张群.先秦儒道诸子的水情结 [J].学术交流，2006（8）：156-159.

[18] 李强.汉画像石《孔子见老子图》考述 [J].华夏考古，2009（2）：125-129.

[19]马敏学.孟州有个相逢村[J].时代报告，2018（2）：38-40.

[20]靳怀堾.孟子观水：从形而上的水，到形而下的水[J].中国三峡，2010（2）：58-61.

[21]白少雄.《墨子》中的大禹形象[J].沧州师范学院学报，2017（3）：20-24.